ALEGRIA E TRIUNFO II

Lourenço Prado

ALEGRIA E TRIUNFO II

Crie seu Próprio Destino

Copyright © 2009 Editora Pensamento-Cultrix Ltda.
1ª edição 2009.
7ª reimpressão 2021.

Todos os direitos reservados. Nenhuma parte desta obra pode ser reproduzida ou usada de qualquer forma ou por qualquer meio, eletrônico ou mecânico, inclusive fotocópias, gravações ou sistema de armazenamento em banco de dados, sem permissão por escrito, exceto nos casos de trechos curtos citados em resenhas críticas ou artigos de revista.

A Editora Pensamento não se responsabiliza por eventuais mudanças ocorridas nos endereços convencionais ou eletrônicos citados neste livro.

Originalmente publicado com o título de *Criai Novo Destino*.

Dados Internacionais de Catalogação na Publicação (CIP)
(Câmara Brasileira do Livro, SP, Brasil)

Prado, Lourenço, 1892-1945.
Alegria e triunfo II: crie seu própio destino / Lourenço Prado. — São Paulo : Pensamento, 2016.

ISBN 978-85-315-1591-0
1. Autoajuda – Técnicas 2. Autorrealização 3. Desenvolvimento pessoal. 4. Ocultismo I. Título

09-06509   CDD-131

Índices para catálogo sistemático:
1. Pensamento construtivo: Desenvolvimento pessoal: Ciências ocultas 131

Direitos reservados
EDITORA PENSAMENTO-CULTRIX LTDA.
Rua Dr. Mário Vicente, 368 — 04270-000 — São Paulo — SP
Fone: (11) 2066-9000
http://www.editorapensamento.com.br
E-mail: atendimento@editorapensamento.com.br
Foi feito o depósito legal.

Sumário

Prefácio 7
A magia da felicidade 9
Para adquirir a eficiência 13
O presente e a manifestação 19
No que você ocupa o seu pensamento? 24
O cultivo da vontade 29
As suas forças superiores 35
A sua relação com o universo 44
O pensamento reto prolonga a vida 49
Pensamentos originais 54
A trindade da sua existência 59
Para formar seu caráter 63
O espírito da opulência 71
O poder da expressão 76
A simplicidade do espírito 80
O espírito do Natal 84
O hábito racial de envelhecer 88

A garantia de sua imortalidade 93
Homens famosos na velhice 100
Desenvolvimento próprio 107
O dirigente da sua vida objetiva 113
A aplicação das suas energias 121
O verdadeiro objetivo da vida 130
A criação de um novo destino 134
O asseio da sua habitação mental 140
As causas fundamentais do seu destino 143
Pensamentos construtivos 148
Pode quem pensa que pode 154
Matéria, movimento e espírito 160
A sua personalidade e o seu eu real 164
Desejo, pedido e afirmação 169
A perpétua renovação 173
Quem criou seu corpo? 177
A consciência do dinheiro 182
Como você recria a si mesmo 188

Prefácio

O conhecimento das leis da vida é a Verdade, a qual, no dizer do Cristo, o libertará. Essas leis mostram o que você é realmente e explicam as imensas possibilidades que se acham adormecidas no seu íntimo.

Expor numa linguagem clara e compreensível os meios pelos quais você se expressará exteriormente é o objetivo da obra que lhe apresentamos.

Focalizando os diversos aspectos da expressão da Vida na nossa existência, ela lhe mostra os caminhos para uma perfeita manifestação material, no campo da saúde, felicidade e progresso.

O conhecimento de que você é espírito e senhor da sua situação — seja qual for — que você criou inconscientemente, mas que poderá criar novamente e fazê-la inteiramente nova desde o momento presente é a chave de todo o seu progresso espiritual e material, e só ele poderá dar solução a todos os problemas da sua vida. Como expressou Carlos Morales:

"Enfrente a vida serenamente. Não a tema. Tema, sim, suas más paixões. Dentro de você mesmo está o perigo. Dentro de si você leva a estrela da sua sorte; a força primordial que, exteriorizada, forjará seu destino, a lâmpada que guiará seus passos nas dificuldades da vida.

"Não esqueça que as condições da sua vida serão sempre o resultado dos seus pensamentos. Você será o que quiser ser. Assim o afirmam Maeterlinck, Trine, Marden e toda uma escola de filósofos e psicólogos.

"Não existe o chamado fatalismo do destino, e se existe, você poderá, com a energia do seu pensamento, convertê-lo e amoldá-lo aos seus desejos.

"Enfrente a vida serenamente. Ponha refulgências de sol na estrela da sua sorte."

Explicando-lhe como você conseguirá esse conhecimento e como você o aplicará em seu desenvolvimento, esta obra lhe será de grande utilidade e você poderá produzir notável transformação em sua vida. A única coisa que lhe faltará para chegar ao mais alto alvo que você aspirar está em aceitar positivamente seus princípios e pô-los em prática, executando-os com firmeza e sentimento profundo.

Tendo em vista os grandes benefícios que prestará na orientação de seus esforços para os caminhos da saúde, da alegria e do progresso que lhe pertencem como filho da Infinita Mente Criadora, apresentamos-lhe esta obra com a confiança de que estamos prestando um verdadeiro serviço à humanidade.

A magia da felicidade

A felicidade é, sem dúvida, uma qualidade inerente a todo ser humano. Seu verdadeiro campo de expressão é o de harmonizar tudo o que for bom em você. Portanto, você poderá denominá-la o universal dentro de você, pois *pode estar, e realmente está*, em cada átomo de seu ser. Quando você se sente completamente feliz, cada átomo de seu ser se torna alegremente harmonizado com os outros, fazendo-o manifestar um todo glorioso e harmonioso de expressão feliz. Como você mesmo, às vezes tudo lhe parece feliz, o mundo lhe parece um bom lugar para viver e tudo corre calma e alegremente.

Você não pode ver e conhecer senão a felicidade, e crer somente nela, nas ocasiões em que experimenta completamente a alegria plena dela, pois sua felicidade inerente e seus poderes de expressão, nessas ocasiões, manifestam a sua plenitude de onipresença.

Porém, o que contribui para esse excelente estado, condição ou consciência de Existência? Se puder conhecer isso plenamente, você poderá sentir a felicidade como uma expressão constante, contínua e inebriante.

Em tese, você deve ser naturalmente feliz, e nada poderá impedir a plena expressão de sua capacidade de alegria e felicidade, se você não pensar ou crer de modo contrário. O que tende a mudar sua alegria geralmente provém de seu modo errôneo de pensar e crer, e é facílimo remediá-lo.

Primeiramente, você deve compreender mais completamente e sentir mais profundamente que você é naturalmente feliz, tudo foi feito para que você manifeste sempre as melhores condições e, a fim de fazer isso, ela deverá determinar que cada átomo funcione de modo feliz, fazendo alegremente a sua obra, de modo que a combinação e a poderosa plenitude deles no esforço produzam um resultado de felicidade, manifestando em você, da melhor maneira, o pleno jogo da expressão.

Veja que você apenas deverá dar plena expansão às capacidades e forças naturais de cada átomo que reside em você para sentir plenamente a expressão perfeita de sua felicidade natural. Deixe-os manifestar sua plenitude de expressão e, ao mesmo tempo, faça com que sua mente fique inteiramente livre de todo pensamento ou crença errada.

Concentre sua crença e sua capacidade de percepção de conhecimentos no único assunto em que você se permita uma liberdade perfeita, de felicidade natural, e certamente só poderá resultar a experiência do estado natural de felicidade que deseja.

O pensamento, como pensamento mesmo, não tem muito a ver com o seu estado de alegria natural. Antes de ser capaz de pensar inteligentemente, você se sentirá naturalmente feliz. Efetivamente, pode afastar da sua mente todo pensamento e ainda sentir-se feliz.

Tão poderosa e dona de um ilimitado poder é a sua natureza normalmente alegre que nada interfere com a ação ou expressão perfeita dela, exceto quando, por pensamento e crenças erradas, você suprime e represa a ação natural dela. O que os pensamentos errados e as falsas crenças fazem é suprimir ou reprimir a expressão natural da sua felicidade autêntica. Resolva isso afastando-os completamente, esquecendo a existência deles, e você poderá prontamente sentir todas as saídas de expressão perfeita, plenamente abertas para o objetivo ao qual se destinavam — expressando a felicidade da sua natureza.

Que todo caminho para expressão de toda a sua natureza apresente plena passagem para que você possa expressar clara, real e perfeitamente, e com a máxima alegria, a felicidade que realmente reside em você. Ao agir assim, você vibrará por um novo sentimento de vida, pelo novo sentimento de vida que está sendo vivida, manifestada e que se expressa em toda a sua plenitude feliz. Certamente, nesse estado nada impedirá a mais completa expressão da felicidade natural que há em **você**.

Geralmente você procura a felicidade no exterior, quando, antes de tudo, ela está dentro de você. Os seus processos de procurar a felicidade abrangem uma teoria falsa para guiá-lo: a de crer que a felicidade é apenas uma existência exterior. Muitas vezes você a procura nos livros, verificando apenas que essa felicidade é de muito pouca duração, como os acontecimentos externos de felicidade que você experimenta de tempos em tempos.

O motivo está em você se esquecer que é naturalmente feliz e que não precisa de nada para ser feliz. Isso naturalmente você é, e, portanto, provará a sua felicidade permanente pela demonstração de que, no decorrer do tempo e na sucessão das circunstâncias, você é apto a sentir a felicidade.

Consequentemente, a felicidade estará sempre com você. Compreende o ponto essencial que lhe mostrei? Ela nunca está ausente de você. Considere isso verdadeiramente, realize-o plenamente. Porém, você perguntará como esta condição inerente de uma felicidade constante, interminável, poderá vir a ser sua expressão.

Aqui já lhe expressei os pontos relativos a essa condição natural. Estude-os e pratique-os, e manifestará a felicidade constantemente, de maneira que, onde quer que você esteja, onde quer que vá, seja o que for que aconteça, a felicidade estará sempre com você, profundamente dentro de você, abrandando o caminho para você e para os outros.

Não é necessário estar sempre sorridente para estar expressando a felicidade, não é preciso falar em coisas felizes para expressar a felicidade, porque ela está dentro de você, sempre, iluminando sua natureza, sempre derramando o conforto da boa vontade e da alegria serena, manifestando a realidade que você é, constituindo uma bênção suprema para aqueles que estiverem em contato com você e permanecendo a expressão natural e estabelecida de você mesmo pela Vontade de Deus, que é a Perfeição da Felicidade e da Alegria.

Para adquirir a eficiência

A eficiência não se baseia apenas no trabalho, pois é também resultado de você seguir um ideal. Você será eficiente se simplesmente se esforçar sempre em fazer as coisas melhor do que anteriormente. Você colocará um ideal diante de si, para o qual constantemente aspirará. Nenhum esforço será demasiado grande se você puder, por ele, aproximar-se um pouco de seu ideal. Você não poderá estar satisfeito com o que não for o melhor que puder fazer, e, além disso, estará constantemente olhando para a frente, na expectativa do tempo em que poderá fazer ainda melhor seu trabalho. Um bom trabalhador nunca poderá ser persuadido a fazer uma obra inferior. Ele lhe dirá — e isso é perfeitamente verdade — que é tão fácil ou até mais fácil fazer bem uma coisa do que fazê-la mal. Assim será, *quando você tiver aprendido a fazê-la corretamente*.

Poderá levar anos de esforço, luta e prática constante, antes de você se tornar realmente eficiente em sua profissão particular, porém, quando chegar a isso, sua obra não só será feita melhor do que a comum, mas também será feita com menos esforço.

A eficiência é o resultado não só do esforço em alcançar o ideal, mas é também o resultado da concentração. Sem o poder de concentração é impossível realizar alguma coisa. Antes de poder exercer a concentração, você deve ter interesse. Será mais fácil concentrar-se se seu interesse for despertado. A pessoa mais comum aplica esta lei. Se tiver interesse em corridas, ela poderá dizer-lhe os nomes de todos os cavalos, seus jóqueis e proprietários, poderá descrever-lhe como foi a corrida, o que fez o cavalo ou o jóquei. Mostrará uma base enorme de saber, uma admirável memória e conhecimento dos detalhes — e isso é possível simplesmente porque se concentrou no assunto. Concentrou-se simplesmente porque teve um interesse absorvente nas corridas. Entretanto, essa mesma pessoa poderá ser totalmente ineficiente em seu trabalho, simplesmente porque não poderá concentrar sua mente nele. Não pode concentrar-se em seu trabalho, simplesmente porque não está interessado nele.

Muitos não estão interessados em seu trabalho porque estão servindo numa ocupação para a qual não se adaptam; são como pinos quadrados em buracos redondos. Um homem que seria um fracasso completo como advogado poderá ser bom viajante comercial, conferencista ou guia turístico. Portanto, enquanto permanecer num escritório de advocacia será muito difícil para ele concentrar-se em seu trabalho, simplesmente porque não pode despertar interesse nele.

Aqueles que se acham mal colocados em seu trabalho deverão ter a coragem de mudar de profissão e procurar aquela para a qual estejam aptos e na qual possam tornar-se completamente interessados. Muitos dos indivíduos mais prósperos e úteis da sociedade tiveram de mudar mais de uma vez suas profissões até encontrarem a carreira na vida para a qual eram mais aptos.

A eficiência e o sucesso de muitos não se deve a grande capacidade, mas sim ao entusiasmo. Aquele que é entusiasta de seu trabalho não tem dificuldade em concentrar-se. Aumenta também automaticamente sua eficiência, pois vive para seu trabalho e sonha com ele, esforçando-se continuamente para aumentar sua aptidão e capacidade. Inconscientemente, esse processo de aperfeiçoamento age sem cessar, pois todas as forças da mente subconsciente e as forças invisíveis da vida são dirigidas para o único alvo da eficiência maior.

Entretanto, nem todos são dotados dessa capacidade de entusiasmo maior e persistente. Muitos poderão despertar o interesse e conservar certa concentração, porém não poderão despertar o interesse absorvente que é resultado de um entusiasmo extraordinário. Esses encontrarão mais dificuldade nos seus esforços para se tornarem realmente eficientes. Não se acham suficientemente despertos para pôr em ação toda a sua mentalidade. Trabalham mais superficialmente e acham esgotante seu trabalho.

Para você se tornar realmente eficiente e próspero é necessário aplicar toda a sua força mental.

A sua mente poderá ser convenientemente dividida em três seções. Embaixo, o subconsciente (ou inconsciente); acima dele, o consciente, e mais acima ainda, o superconsciente.

A primeira é o grande reservatório de poder que poderá ser empregado para o bem ou para o mal. A segunda é a mente dos sentidos de que você é normalmente consciente. A terceira é a mente espiritual da imaginação criadora, que está em contato com coisas superiores, e melhores. As três mentes ou divisões da mente deverão ser empregadas por você, se desejar ser tão eficiente e próspero quanto for possível!

Primeiramente, você deve imaginar o ideal na mente imaginativa ou criadora, que é superior. Deverá se ver e pensar em você como o ideal de um eficiente e próspero advogado, orador, engenheiro ou o que for que deseje ser.

A sua mente consciente e a sua vontade certamente deverão ser sempre usadas; mas, além disso, por meio delas, deverá querer empregar as outras duas.

Você deverá impor a si mesmo que, pela manhã e à noite, passará alguns minutos criando em sua mente uma pintura ou pensamento do que espera ser, e também em imprimir em sua mente subconsciente que toda a sua mente terá de agir para você, a fim de exercer uma ação eficiente e cada vez mais eficaz.

Essa é a lei de progresso e desenvolvimento: a conservação em sua mente de alguma pintura ou pensamento de seu ideal mais perfeito e eficiente.

Quando um ideal for constantemente conservado em sua mente, em sintonia com todas as outras forças invisíveis da vida, isso levará à reprodução do ideal na vida. Não se dará sem esforço ou prática, pois você se esforçará mais e praticará com entusiasmo crescente, porém com o seu esforço e poderes focalizados e concentrados no alvo em vista.

Não pense que a eficiência descerá de um momento para outro das nuvens. Não pense que algumas afirmações e esperanças de caridade lhe farão descer do céu, sem esforço de sua parte, uma vestimenta preparada de eficiência.

A eficiência deverá ser adquirida por uma prática paciente, o êxito deverá ser conseguido por trabalho e esforço, porque o triunfo só é possível para os homens e mulheres de ação.

Você deverá se levantar cedo e agir. A lentidão preguiçosa nunca o tornará eficiente. Terá que trilhar o mesmo caminho, com a diferença de que, se seguir as linhas aqui descritas, estará trabalhando de acordo com a lei; e empregando a totalidade de suas forças em lugar de apenas uma parte delas, você se tornará muito mais eficiente, hábil e próspero do que aconteceria de outra maneira. Entretanto, persiste a condição de que todos trabalhem e se esforcem.

Além disso, poderá chamar em seu auxílio o poder espiritual dos planos superiores. Identificando-o conscientemente com os planos espirituais superiores, você se relacionará com a "Casa de Forças do Universo". O poder do Espírito é o maior de todos, pois, embora exista só uma Vida e só um Poder, existem graus superiores a que você poderá se elevar. E só poderá elevar-se por meio do pensamento.

Realizando conscientemente sua unidade com o Infinito, a sua vida se tornará repleta do Poder do Infinito. Da mesma forma que, pelo poder do Espírito, homens e mulheres de todas as idades foram capazes de suportar aquilo que, de outra forma, nunca poderiam suportar, você também poderá fazer uso do mesmo poder em seus esforços para se tornar mais eficiente.

Tornando-se mais eficiente, obedecerá a duas leis: a lei do progresso e a lei do serviço. Deverá progredir e se aperfeiçoar, sempre se impulsionando para maior realização; deverá servir ao seu tempo e a sua geração.

Aumentando sua eficiência pessoal você também progride, ao mesmo tempo servindo a vida e ao próximo mais habilmente. E assim fazendo, entrará em harmonia com o objetivo divino da sua existência.

O presente e a manifestação

O pensamento é esquivo, transitório e, entretanto, necessário a qualquer realização. A sua transitoriedade mostra que a existência dele depende da medida do Tempo. Você não pode pensar sem que seu pensamento meça um período de tempo. Portanto, para que obtenha uma realização completa do PRESENTE, deverá formar seu pensamento sob a forma estática, porém possuindo força dinâmica em si. Em outras palavras, você deverá ver a realização de seu pensamento como perfeitamente parada e firme, como numa página impressa ou escrita, e ao vê-la mentalmente, deverá ver nela uma força dinâmica para manifestar sua semelhança. Além disso, não é preciso ter a ideia do pensamento como se conhecesse toda a existência do começo ao fim.

Ao ver mentalmente um pensamento para manifestá-lo no presente, da forma descrita acima, ele existirá realmente no presente e o mesmo acontecerá com a sua semelhança no material. Haverá uma cessação do tempo como comumente é experimentada em relação ao pensamento, e se dará uma perfeita concentração em consequência de você dirigir seu pensamento da forma descrita. Nessas condições, a força dinâmica que ele possui será aumentada e, por conseguinte, sua potência para a manifestação será tão fortalecida que, enfim, se manifestará no presente materialmente. O Desejo é a raiz de toda manifestação. Os desejos se formam em pensamentos. Todo desejo que você tiver, em virtude do próprio fato de sua existência, poderá ser expresso materialmente. Portanto deverá governar o desejo, e o modo de realizá-lo é fazê-lo evoluir de forma dominante, da essência ou substância para o pensamento, e em seguida desse para o seu correspondente material.

Você notará que, quando alguma coisa material é feita, primeiro nasce o desejo de fazê-la, depois vem o pensamento de como deverá ser e em seguida, o ato que leva o pensamento a alguma coisa material.

Assim, a ação é aquilo que expressa, que é a causa de todas as manifestações. Esse ponto é claramente posto em evidência por Cristo, quando afirmou que deverá crer que recebeu e assim receberá, isto é, deverá ter perfeita percepção que terá aquilo que pediu. Assim, ao crer que recebe, estará sugerindo que um ato semelhante ao de receber se dará. Desse modo você pode ver com clareza a manifestação no seu aspecto de aparecimento.

Os pensamentos são coisas. Isso quer dizer que têm seus correspondentes exteriores no âmbito material. Assim, ao pensar os melhores pensamentos, incluindo neles os bens reais, os seus atos expressarão as formas materiais que são fiéis aos seus pensamentos. Não poderá esperar que o bem lhe manifeste riquezas e outros bens, sem pensar neles. Deverá ter os pensamentos retos e justos para que se manifestem; deverá vivê-los, ser a expressão real deles, mentalmente, e então não poderá manifestar senão seus correspondentes exatos.

No que é denominado o lado invisível da vida, existem para muitas pessoas coisas belas em que se concentrar e meditar. A dificuldade é manifestá-las perfeitamente. E é nisso que se encontram muitas experiências retardatárias na luta. Você não precisa lutar de forma alguma. Por que haverá de lutar por aquilo que é seu naturalmente? É suficiente saber que existem para você, ter paciência e esperar que elas se apresentem em sua vida. A mente, o coração e a alma pacientes são os supremos vencedores em todas as coisas e sobre todas as coisas. Se você não apreender perfeitamente a lição da paciência, não poderá gozar completamente os dons de Deus para você. Se lutar, isso deixará evidente a existência de uma deficiência, quando a verdade é que não pode haver falta. Logo, você não lutará de maneira vã; porém seja paciente e confiante de que tudo o que for para seu conhecimento e como isso será empregado, estará com você no presente, quanto mais você se convencer, na sua inteligência, que assim é.

A clareza do pensamento produz maior clareza na compreensão da manifestação. A clareza de seu pensamento só pode se originar de uma causa: paciência, calma e verdadeira manifestação. É muito agradável ser capaz de compreender claramente tudo. Enquanto não puder compreender tudo claramente você não terá grande prazer.

Portanto, quando chamar das regiões invisíveis da vida aquilo que quiser manifestar no **PRESENTE**, deverá ver claramente, compreender claramente e agir claramente. Então, verá que o que você manifestou na perfeita clareza de seu pensamento, lhe dará verdadeiro gozo em tudo aquilo com que você entrar em contato.

Os semelhantes se atraem. Se a sua clara compreensão for perfeitamente desenvolvida, isso naturalmente se envolverá em todos os correspondentes contidos na sua compreensão e não poderá resultar disso nada mais que uma manifestação perfeita e agradável de unidade. Esta clara compreensão e sua unidade poderão ser descritas pelo exemplo de uma bela pintura, manifestada pelas mãos de um artista magistral. Vendo essa pintura, tão harmoniosa na cor, tão deliciosamente misturada com a luz e a sombra, tão realista na forma de vida que pinta, invariavelmente você fará uma pausa com um sentimento de espanto e reverência para essa perfeição visível manifestada através do controle da imaginação, mente e ação. Neste ponto, não pensará, mas sim sentirá a verdade que a pintura expressa. Desse modo, seu pensamento para a manifestação deverá ser conhecido; profunda, verdadeira e perfeitamente.

É claro que antes de poder se dar a manifestação, é preciso primeiramente haver o silêncio e ser conservada a verdadeira, perfeita e profunda contemplação do ideal. Então, como o artista fez com sua pintura, você deverá exteriorizar seus pensamentos na tela do Universal, ansiando pelo desenvolvimento à medida que prosseguir tão vivamente passo a passo, até que toda a bela manifestação esteja diante de você, na sua realidade completa e perfeita.

Poderá também chegar a um sentimento, compreensão e conhecimento mais perfeito de Deus, quando formar, da maneira acima descrita, uma ideia da obra d'Ele. À proporção que progredir melhor, poderá tocá-lo na sua plenitude e dizer como Cristo: "É o Pai em mim que faz as obras". A Mão dirigente do Criador desse magnífico Universo sempre está agindo, no PRESENTE eterno. Tudo o que é visto como manifestação tem sua causa n'Ele. Ele faz as obras e, sendo tão perfeito em suas obras, você deverá se referir a tudo o que desejar possuir como manifestação d'Ele.

Ele poderá fazer passar o que quiser e o fará com a sua cooperação, como faz passarem todos os outros acontecimentos que se completam eternamente n'Ele; creia na cooperação d'Ele como fato onipresente, e tudo o que poderá desejar estará à sua disposição para que use no Reino de seu Belo Presente.

No que você ocupa o seu pensamento?

Este momento lhe oferece uma admirável oportunidade e poderá tomar, agora, uma decisão que trará para a sua vida toda beleza, harmonia e felicidade que almeja, afastando-o de todas as condições limitadas e desagradáveis em que você vive. Somente você poderá tomar essa decisão em relação a si mesmo.

A vida lhe oferece a alegria de seu próprio desenvolvimento, a oportunidade de você se expressar e a responsabilidade que acompanha essa expressão.

Na decisão que tomar você assume a sua responsabilidade, por isso é na decisão que começa a expressão. Portanto, a primeira pergunta que deverá fazer a si mesmo será: Qual será a minha decisão?

As coisas como se apresentam em sua vida poderão ser satisfatórias ou não à sua alma, porém, geralmente você viverá aborrecido, inquieto e aspirando por coisas melhores.

Poucos são aqueles que realmente não sentem desejos de um bem maior, e todos você terá, se assim o decidir.

Entretanto, essa decisão de receber um bem maior exige outra decisão igualmente importante que é a de estar disposto a abandonar o que é velho para dar lugar ao que é novo. Sem deixar os seus velhos hábitos, não haverá lugar para as novas coisas que você deseja.

Este momento o coloca, portanto, numa situação em que poderá ver tudo sob um aspecto triplo: poderá lembrar-se do passado, ter consciência do momento presente e poderá também imaginar o futuro.

Porém, é este momento que vale, pois é nele que você se decidirá a reconstruir o passado no futuro ou a abandonar completamente o passado e criar um futuro inteiramente novo e belo. Tudo o que você fizer no futuro será apenas a consequência de sua decisão atual. Como é importante esse dia, essa hora, esse momento!

Porém você perguntará: "Como poderei fugir do passado? Ele não se acha envolvido na minha experiência? Como poderei escapar da impressão que deixaram no meu caráter as circunstâncias e acontecimentos relacionados com a minha vida?"

Não lhe peço que fuja do passado. Apenas peço que o deixe no passado, que o conserve no seu lugar e não o recorde, trazendo-o para o presente ou levando-o para o futuro. Abandone-o para que a grande inteligência o dissolva e livre você de suas consequências e o ponha a construir, a partir desse momento, uma vida nova e de acordo com as aspirações da sua alma.

Não lhe disse o Mestre: "Sede transformados pela renovação de suas mentes"? As antigas formas físicas desaparecerão de seu campo de experiência, à medida que as antigas formas mentais se apaguem de sua consciência, porque o seu corpo sempre acompanha a sua mente.

É essa visão mental, essa nova concepção de sua mente, o que mais você necessita nesse momento; empregue seu conhecimento atual, sua iluminação desse momento, para encarar o futuro; porém, não para viver nele, mas para criá-lo. Os acontecimentos passados caíram como folhas ao vento. Deixe-os onde caíram para que o fogo do Amor Divino os devore e transforme, de maneira que tudo se reúna num conjunto favorável para a decisão que você irá tomar.

Foi o passado que lhe trouxe a decisão desse momento. Portanto, nesse particular ao menos, ele é bom. Como os israelitas no passado, sem dúvida você foi oprimido pelas limitações de experiências desagradáveis, e, por isso, implora que o tirem da terra do Egito, símbolo do sofrimento e do sacrifício, e que o levem para a terra prometida que se apresentou à sua consciência.

A estrada da vida para o indivíduo não se diferencia da que é própria para a nação. Não existe diferença entre a estrada de hoje e a de milhares de anos atrás, quando os israelitas atravessaram o mar Vermelho e o deserto. Deviam receber a terra prometida e foram levados a ela por alguém que conhecia a lei. Para chegar a ela, tiveram de abandonar o Egito e caminhar para o bem que lhes fora prometido, seguindo a Lei, que Moisés representava.

O mesmo está acontecendo com a sua alma. O bem lhe é prometido, desde que deixe as trevas, encare a luz e acompanhe a lei, obedecendo-a. Isso é a mesma coisa que lhe disse há pouco: abandonar o passado, encarar o futuro e manter em sua mente a ideia clara do que determinou ser. Essa verdadeira visão mental será o seu conceito da nova vida. Será a sua concepção de um novo ideal que antecederá o nascimento do ideal na forma. Ela é tão necessária para a concepção dessa forma, como a concepção de uma criança é para o seu nascimento ou o plantio de uma semente é para o seu crescimento. Essa é a lei da mente: "Como um homem pensa em seu coração, assim ele é."

Disse Paulo: "As coisas que são vistas não foram feitas das coisas que aparecem." "As coisas de sua vida atual foram feitas de suas concepções mentais anteriores."

A sua visão da vida ou a sua concepção mental é como o plano e as especificações do arquiteto. Assim, é preciso ter sua visão ou mentalização do que quer e viver de acordo com ela. Deverá pensar na ideia formada, falar e agir de modo apropriado para a sua manifestação, como o arquiteto faz executar cada traço do plano que formou para a construção da casa.

Uma ideia mantida em sua mente produzirá seus frutos com tanta certeza como a semente enterrada no solo. A mesma lei governa a produção de ambas. "O que o homem semeia virá a colher", diz a Bíblia. Disse Jesus: "Tudo o que pedir quando orar, creia que já recebeu e o terá."

Veja por essas palavras que é necessário decidir o que deseja pedir, conservá-lo no seu pensamento, pela fé, que você o possui, para que possa recebê-lo.

Será somente mudando seus pensamentos para bons e alegres que mudará a sua experiência. Não perca tempo em queixar-se do que lhe prejudica ou aborrece.

Pense e acredite apenas no bem, na alegria e na felicidade, e como disse Jesus: "De acordo com essa crença, assim sucederá."

Eleve a sua mente às alturas espirituais, porque é delas que lhe virá a força para vencer a inércia e o peso das coisas terrestres, e transportá-las de acordo com o plano estabelecido nas sólidas bases da Harmonia, do Amor, da Verdade e da Justiça, que lhe permitirão pairar sempre acima das negativas vibrações terrenas, numa atmosfera perene de paz, saúde e prosperidade.

O cultivo da vontade

É um erro comum supor-se que, na sugestão, o paciente está sob a vontade do operador. O operador não tem absolutamente domínio, por sua vontade, senão da expressão de sua própria vida. A Terra seria pior do que um pandemônio se uma pessoa fosse dominada pela vontade de outra. Onde acabaria essa dominação? Se assim fosse, a pessoa de uma comunidade ou nação que possuísse a vontade mais forte seria o ditador. A vontade, em cada pessoa, é semelhante à vida, ao amor, ao pensamento; não tem limites. Não é a falta nem a diferença de vontades que estabelece as distinções na sociedade; são as aplicações diversas dela. Verifique cuidadosamente este ponto.

O paciente exerce menos vontade quando não pode levantar-se de uma cadeira do que quando pode fazê-lo? Quando o operador lhe diz que não pode abrir a mão e, tentando fazê-lo, não o consegue, ele emprega menos vontade do que quando tenta e consegue fazê-lo? Quando está sentado, em casa ou na escola, exerce menos vontade do que quando caminha?

A vontade é um fator constante e sempre é exercida. Estude o princípio da inércia na física. Tanta força é necessária para mover um fardo, quanta para pará-lo e vice-versa. Uma tonelada de peso não se move sem uma força igual, assim como, em movimento, não para de mover-se, sem que um peso igual o obrigue. É preciso tanta vontade para dizer: "Eu quero", como para dizer: "Eu não quero", assim como a mesma quantidade para dizer: "Eu posso" ou "Eu não posso".

O paciente recebe a sugestão: "Eu não posso abrir a minha mão". E assim faz, isto é, quer que a mão não se abra. Pedem a ele que experimente. Ele faz esforços, porém não consegue abrir a mão e a cada tentativa fecha mais a mão. Acha que está procurando abrir a mão. Não conseguirá abrir a mão enquanto não disser: "Eu posso". Até então, todos os seus esforços serão dominados pela afirmação anterior que recebeu, isto é: "Eu não posso". Estude isso até compreender perfeitamente, porque tem profunda importância para você. Nisso está a causa do insucesso e do sucesso de todos os homens.

Lembre-se de que é através do nervo simpático que o Ego (que é primariamente Poder e nesse nervo transmutado em Vida) se manifesta objetivamente. É através do cérebro frontal que essa expressão de vida é dirigida pelo homem consciente. Esta direção é por afirmação (autossugestão). Quando a sugestão é dada, a Vida se manifesta sob a direção dela até que seja mudada. "Não posso abrir minhas mãos" é a direção que o paciente deu ao Ego. Quando a sugestão de "tentar" é dada, essa tentativa é feita pelo ramo executivo do homem consciente — a Vontade — sob a ordem: "Eu não posso". Aquele que não quer obedecer é igual em Vontade àquele que quer obedecer. A mesma quantidade de vida é transformada em efeito sob uma decisão ou outra. A vontade é o poder executivo do homem consciente. Eis uma analogia para ajudá-lo a compreender a relação dela com o resto do Ego consciente: suponha que uma máquina elétrica está em funcionamento. Sendo movida pela eletricidade, quando a ligação se desprende do fio, a máquina para. Ora, a Vontade conserva a consciência em contato. Qual é a Força? A Vida. Qual é o fio? O Pensamento — a Afirmação — a Autossugestão. Quando a Vontade se apega ao pensamento escolhido, que, neste caso, é "Eu não posso", então todo esforço é na direção da afirmação.

Você poderá tirar disso suas conclusões, sem maiores explicações. Estará apto a ver que, ao afirmar: "Eu posso", em relação a alguma coisa, sua Vontade se apodera desse pensamento e faz esforço nessa direção. Quando disser sobre alguma coisa desejada "Eu não posso", por esta afirmação impossibilitará ao seu Ego fazer um esforço para sua aquisição.

Ao afirmar: "Eu estou doente", torna impossível para seu Ego manifestar-se de qualquer outra forma, exceto na doença. No momento em que tiver fé em alguma coisa, pessoa, método, torna possível para o Ego fazer o esforço e ele será, na proporção exata de sua fé, na afirmação: "Eu posso". Esta é a primeira explicação científica que conheço da verdade da afirmação muitas vezes repetida de Jesus: "Tua fé te salvou."

A Lei da Vida é: — Nunca se permita afirmar aquilo que não desejar. Positivamente expressa: — Afirme aquilo que deseja. Nas suas conversas diárias, fale apenas de coisas agradáveis e boas, e, ao pensar em si mesmo, pense que todas as boas coisas lhe são possíveis. Esta atitude mental torna possível que elas venham a você. O detalhe da Lei é: — Elimine de seu vocabulário o "se" condicional e o "não posso".

Cultive sua Vontade no apoio da afirmação de poder. Esta é a Concentração.

O poder da Vontade sendo igual, surge a questão do motivo de muita diferença nas condições dos homens. Uma ilustração pode ser dada com dez quilos de pólvora nas mãos de dois homens. Um emprega os seus cinco quilos para queimá-los num aquecedor. O outro abre um buraco numa rocha e consegue abrir uma mina. Um homem aplica a força de um valor monetário para estabelecer o começo de um hábito de beber ou de jogar, e outro, para o começo de uma empresa comercial; uma livraria ou outro negócio. Um concentra seu poder, o outro o desperdiça. O mesmo acontece com a Vida. Um o aplica com um pensamento escolhido para um fim predeterminado e, conservando-se pela vontade, nesse pensamento, encontra o êxito. Outro deixa inúmeros pensamentos se apoderarem dele dia e noite. A sua vontade obedece a vários pedidos dos muitos pensamentos. Um pensamento constrói e outro derruba; o resultado é uma existência desperdiçada.

Aprenda a escolher um pensamento do Bem e colocá-lo a cargo da vontade e deixe que esta o execute. Compenetre-se de que, quando você tiver colocado a vida consciente sob o domínio de um pensamento escolhido, ele será executado com tanta certeza como se realiza a ação da gravidade quando a natureza coloca aos cuidados dela a água no alto da montanha: ela encontrará o oceano.

Com igual certeza deverá confiar no Poder que você tem ao ser dirigido por uma decisão inteligente em relação ao que desejar. É necessário que escolha o pensamento, concentre-se sobre o domínio da vontade e seja levado por essa vibração infinita para o êxito.

Aprenda também sobre o que o chateia, pensando que está "cansado" em seu trabalho. Quando tiver alguma coisa a fazer, afirme que está descansado e possui força, e esqueça o cansaço, e verá que ele desaparece. Na sua mente consciente, governe o processo, vendo que esteja sendo feito como você deseja. Como o Ego, por meio do nervo simpático, trabalha sem se cansar, assim também quando você se concentra no pensamento reto, o Ego agirá por meio do sistema da vontade sem cansaço. A única coisa que a vontade necessita ou pode ter, é a de treiná-la a afirmar-se no pensamento que você escolher. Ela o faz sempre assim, porém, você alcança o poder do domínio próprio ao dirigi-lo conscientemente.

A concentração é simplesmente dar atenção a um pensamento escolhido com a mesma persistência que o faz com um pensamento forçado sobre você pela necessidade, como são os pensamentos de negócios, ansiedade, tristeza, pesar e sofrimento. Esses vêm por si mesmos e o escravizam. Escolha e seja senhor. Você poderá empregar sua vontade sobre si mesmo. Por meio dela, poderá adquirir uma voz irresistível, uma atitude positiva e uma personalidade de tal maneira que sugira poder. O povo obedecerá a tais personalidades, gostará de receber ordens delas e tentará imitá-las. Não é uma diferença de Vontade, mas o desejo de obedecer.

Essa condição de domínio próprio por meio da direção da vida, por pensamentos conscientemente escolhidos, é o ponto supremo do autodomínio. Por meio da sugestão, que muda em função de uma afirmação escolhida, você constrói seu Destino.

Pratique, portanto, em cada oportunidade este ato de sugestão de tal forma que, experimentando, você possa inconscientemente aumentar seu autodomínio. O êxito em qualquer departamento da vida não pode pertencer àquele que não alcançou o domínio de si mesmo. Conheço um eminente homem de negócios que emprega muitos operários, que acumula fortuna, porém, frequentemente tem violentos impulsos de paixão, e, dessas condições mentais que alimenta, sofre constantemente de má digestão e reumatismo. Será ele um vencedor? Nem nas verdadeiras qualidades humanas, nem em poder ele é vencedor.

A força do exemplo é um dos mais poderosos fatores da sua influência sobre os outros para levá-los a viverem mais próximos do ideal da bondade, êxito e saúde. Você deve procurar e aproveitar o pensamento de Emerson, quando diz:

Nem conheces tu que argumento.
Tua vida deu ao credo de teu próximo.

Nesse caso você poderá se conduzir tão inteligentemente que poderá modelar os pensamentos e assim a vida dele.

Esta Lei lhe dará o poder, sugerindo o ideal, a fim de ajudá-lo a construir o ideal dele.

As suas forças superiores

Todo o seu progresso se realiza na escala ascendente, e, portanto, é natural que a mais poderosa das forças que você possui seja a menos compreendida, embora essa incompreensão lhe pareça uma infelicidade.

Aprenda primeiramente as coisas mais simples e de menos valor e, em seguida, as que são mais importantes.

Por isso, as suas maiores forças são as mais desconhecidas e ocultas que possuímos, sendo, por consequência, chamadas forças ocultas, forças superiores, as mais finas forças.

O que acontece com você também acontece com a natureza. As mais poderosas forças naturais são justamente as que praticamente parecem fora de compreensão. A eletricidade é um exemplo. Não se conhece uma força maior na natureza e, no entanto, até agora ninguém foi capaz de determinar o que ela realmente é.

O mesmo se dá com outras forças naturais: quanto mais poderosas, mais difícil de compreendê-las.

Na sua entidade existe um grande número de forças de valor excepcional, sobre as quais você nada conhece, isto é, não compreende sua natureza real, porém, poderá adquirir o suficiente conhecimento de sua ação, objetivo e possibilidade, de modo a aplicá-las em sua vida prática, pois é a aplicação prática que mais lhe interessa.

O campo de suas forças mais refinadas poderá ser denominado seu campo mental inconsciente e você poderá compreender quanto ele é vasto e quanto são grandes as possibilidades de suas funções, ao saber que a maior parte de seu mundo mental é inconsciente.

Apenas uma pequena fração de seu mundo mental ocupa o plano de sua consciência, pois a maior parte se acha submersa no oceano da subconsciência.

Todos os psicólogos modernos chegaram a essa conclusão e é um fato que você poderá verificar pela sua própria experiência, se dedicar seu tempo a isso.

No campo consciente de sua mentalidade, encontrará todas as atividades de que tem consciência durante o estado de vigília. Em relação às atividades inconscientes, parecerão insignificantes, porém, ao saber que são as suas atividades conscientes, que produzem as inconscientes, verá quanto são importantes.

Devo lembrar-lhe aqui que são os seus atos inconscientes que determinam a sua própria natureza, sua capacidade e seu destino.

Em seu estado de vigília, você pensa e age num pequeno campo mental, porém, esses pensamentos e atos produzem seus efeitos no extenso campo inconsciente que se acha abaixo de seu campo mental consciente.

Compenetrar-se da existência desse mundo mental inconsciente, e do seu poder de determinar as suas atividades, é despertar em si mesmo o sentimento de que você possui faculdades e forças, várias vezes maiores do que julga, tornando-se maior sua ideia consciente da vida e de suas possibilidades.

Para exemplificar a importância do campo de seu inconsciente e de suas forças superiores, examinaremos a força do amor.

Ninguém compreendeu a natureza dessa força, nem foi capaz de descobrir sua origem real ou suas verdadeiras possibilidades, entretanto é uma força de enorme importância em sua vida.

Suas atividades são praticamente ocultas e você não sabe o que constitui a natureza íntima dessas atividades, porém sabe até certo ponto governá-las para seu benefício. Você deve ter notado que quando governa e dirige convenientemente as atividades do amor, seu valor é multiplicado várias vezes.

O mesmo acontece com muitas outras forças que você possui. Elas agem através de estados superiores de sua consciência e se acham tão acima de sua compreensão que você não pode saber positivamente o que são. Porém, pode ter bastante conhecimento delas para governá-las e dirigi-las para seu maior bem.

Da mesma forma, o seu campo mental inconsciente, embora esteja além do alcance da análise científica, pode ser suficientemente conhecido em seu modo de ação, de modo que você poderá governar e dirigir as atividades que escolher.

Ao analisar o que surge do campo de seu inconsciente, você verificará que é invariavelmente o resultado de alguma coisa que você colocou nele em qualquer época do passado. Isso o levará à descoberta de seus processos mentais inconscientes, não sendo difícil provar a existência dos mesmos.

Muitas vezes surgem no seu pensamento ideias, desejos, sentimentos e aspirações de cuja criação no passado você não tem consciência. Talvez conclua, então, que foram produzidos por algum processo inconsciente; porém, examinando cuidadosamente essas ideias ou desejos, verificará que são simplesmente efeitos correspondentes a certas causas que anteriormente você colocou em atividade no seu mundo consciente.

Ao fazer experiências nesse sentido, notará que pode, o tempo todo, produzir um processo consciente, por um sentimento profundo, e fazê-lo penetrar em seu mundo mental inconsciente.

Nesse mundo interior, ele entrará em atividade e produzirá resultados de sua natureza, os quais surgirão à superfície de sua mentalidade consciente dias, semanas ou meses depois.

A correspondência entre os seus processos mentais conscientes e inconscientes poderá ser aplicada por um simples movimento na sua atividade física. Se um movimento físico for iniciado em certo ponto e for impelido a seguir uma tendência circular, finalmente voltará ao seu ponto de partida. O mesmo se dará com toda atividade consciente que for profundamente sentida. Ela passará para o extenso campo do inconsciente e, tendo uma tendência circular, como todas as atividades mentais têm, finalmente voltará para o ponto de início e trará consigo o resultado de toda experiência inconsciente pela qual passou.

Todo processo ou atividade mental que se efetuar em sua consciência de vigília, se tiver profundidade ou intensidade de movimento, entrará para o campo do inconsciente e, depois de desenvolver-se conforme a direção de sua origem, voltará para o lado consciente de sua mentalidade. Nisso se encontra o segredo da formação do caráter e da aquisição de qualidades e talentos.

Tudo o que você fizer em seu consciente para aperfeiçoar sua mentalidade, caráter, conduta ou modo de pensar, se for feito com sinceridade e profundidade de pensamento, entrará no campo do inconsciente, e mais tarde se expressará em qualidades perfeitamente desenvolvidas, as quais formarão seu caráter.

Entretanto, muita gente, depois de tentar, durante algum tempo, o aperfeiçoamento de si mesma, não conseguindo resultados, desanima. Esquece-se de que deverá haver algum tempo entre a época da semeadura e a da colheita. O que fizer no consciente para o seu aperfeiçoamento constituirá a semente plantada, pela qual esses atos entrarão no campo inconsciente para serem desenvolvidos, e, semanas ou meses depois, quando aparecerem na vida, será o tempo da colheita.

Muitas vezes acontece que, depois de ter abandonado os esforços para seu aperfeiçoamento, descobre, após um período considerável, que as boas qualidades começaram a aparecer, mostrando-lhe que o esforço feito meses antes não foi inútil, pois o resultado dos esforços passados começaram a aparecer.

Você deve ter tido experiências semelhantes, e, se analisá-las cuidadosamente, notará que todo o processo consciente que for suficientemente intenso para penetrar no inconsciente não deixará de voltar com os seus resultados naturais.

Muitas vezes se apresentaram à sua mente ideias que você procurou vivamente semanas antes, não podendo consegui-las na ocasião; assim fazendo, você colocou em atividade certos desejos fortes e profundas ideias e sua mente foi desenvolvendo esses desejos até a ideia surgir.

O fato de esse processo nunca falhar indica a importância de apresentar à sua mente um trabalho para o futuro. Se tiver alguma coisa a exercer daqui a meses, deverá dar à sua mente uma orientação definida e fazê-lo com um sentimento tão profundo que se torne um processo inconsciente.

Conforme as direções que você der, os processos inconscientes executarão as ideias e os planos que forem precisos para seu trabalho futuro e, no decorrer do tempo, manifestarão exteriormente os resultados que você quiser conseguir.

Se você se habituar a pôr em atividade os seus melhores pensamentos, a todo momento estará colocando continuamente no seu campo mental inconsciente tudo o que for bom para ele desenvolver, e logo que termine o desenvolvimento de cada objeto, este se expressará no plano consciente para seu proveito e uso.

Os melhores livros já escritos foram preparados durante meses de processos mentais inconscientes. O mesmo aconteceu com as invenções, dramas, composições musicais, planos comerciais e tudo o que há de mais importante na vida humana.

Toda ideia, pensamento, sentimento, desejo e atividade mental, sob certas circunstâncias, produzirão correspondentes processos subconscientes, os quais sempre farão voltar à consciência o resultado do seu trabalho.

Se você se compenetrar disso e empreender as enormes possibilidades do campo de seu inconsciente, verá a vantagem de pôr em atividade a maior quantidade possível de bons processos inconscientes. Daí, a todo momento alguma coisa importante surgirá para o seu subconsciente executar.

Coloque a cada minuto a boa semente no seu campo mental. Poderão passar semanas e meses antes de dar seus frutos, porém, esses virão, infalivelmente, no tempo devido.

Compreenda, por consequência, como você poderá formar seu caráter, plantando boas sementes em seu campo mental, das quais resultarão sua boa conduta e uma disposição mais alegre, nobre e corajosa; qualidades mais perfeitas e firmes.

Na direção desses processos inconscientes, você deverá aplicar as melhores forças de sua entidade, porque são elas que determinam invariavelmente o modo pelo qual esses processos agirão.

Contudo, é muito fácil aplicar essas forças; por isso, só é necessário, a princípio, dar atenção aos seus sentimentos.

A expressão de seus sentimentos determina, em grande parte, a direção de suas forças mais admiráveis e o modo pelo qual elas atuarão.

As suas forças superiores serão sempre dirigidas pelos seus sentimentos e, assim, se eles forem bons, você atrairá o bem.

Procure sentir em seu íntimo o bem que deseja possuir, pensando nele como se já estivesse presente, e você colocará em atividade uma grande corrente de força para atrair o objeto desejado. Essas forças entrarão no seu mundo mental inconsciente e produzirão processos por meio dos quais os resultados desejados se realizarão.

Sempre que quiser dar nova direção às suas forças superiores, você deverá despertar um sentimento daquilo que deseja realizar. Por exemplo, vamos supor que você tenha certas emoções e sentimentos que não sejam agradáveis. Para desviar as suas energias dessas emoções e dirigi-las para um caminho melhor, mude as emoções, aplicando toda a sua atenção em procurar sentir somente o que é bom e agradável.

Devo lembrá-lo aqui que toda emoção que se apresentar em sua vida é um bloco de energia, havendo assim um enorme desperdício de energia em toda emoção mal dirigida.

Você sabe por experiência que, depois de uma emoção violenta, fica-se exausto e abatido, porque a emoção não dominada produz grande dispêndio de forças.

Muitas pessoas que são muito intensas em suas emoções adoecem depois de um violento impulso emotivo.

Pelo contrário, as emoções governadas e bem dirigidas não só evitam desperdício de forças, mas também fortalecem a mente e o corpo.

Por isso, é saudável, em todas as vezes que você sentir uma emoção indesejável, passar a pensar profundamente e com o maior interesse possível nas coisas que deseja fazer. Se puder, por assim dizer, dar toda a sua alma para essa nova direção, logo notará que suas emoções desagradáveis desaparecerão completamente.

Deverá educar-se em governar e dirigir seus sentimentos, sendo fácil fazê-lo, se direcionar a sua atenção para as coisas boas e elevadas.

Por meio dessa prática, logo você adquirirá completo domínio de seus sentimentos, de modo que, aconteça o que acontecer, os seus sentimentos permanecerão bons e agradáveis.

Assim terá alcançado não só o poder de governar as suas emoções e empregar construtivamente as energias nelas existentes, mas também terá encontrado o segredo da felicidade permanente, cuja posse você deseja do fundo da alma.

A sua relação com o universo

O Pensamento é Força. É a única força que você poderá usar e que vai empregar para dirigir outras formas de Força com as quais você tratar. Portanto, concluímos que existe um reservatório do qual você receberá as forças, e é dele que falaremos aqui.

Você vive num Universo. Não existem muitos universos. Há um só e nele você vive e expressa o que você é. Expressa ou manifesta no universo aquilo que você é em possibilidade. Você faz isso pelo sentimento e pelo pensamento. A soma total da Vida é *sentir e pensar*.

O Sentimento está em primeiro lugar e é comum a toda a vida animal. O pensar vem em segundo lugar e é próprio do homem. É por essas coisas que você age.

Em comum com todos os animais, você possui o poder de pôr em atividade a inteligência. Os animais agem de acordo com a inteligência que possuem, porém não podem transferir a inteligência em pensamento. O homem sente e a inteligência, que é despertada pelo sentimento, ele a coloca no pensamento. Pode dizer *por que age*. Aqui temos toda categoria de expressão possível.

A Vida se manifesta primeiramente como sensação, depois como ideia e, por último, como conduta.

A arte da sugestão interessa-se por estas coisas, porque ela lhe ensina a pensar, a fim de poder sentir o que quiser e dirigir a sua conduta como quiser.

Saber como deve pensar, o que deve pensar, e pensar no que deseja, é ser o senhor de seu destino. Saber como pensar no ideal é levar os outros a pensar no ideal, e levar os outros a pensar nele é alcançar o mais alto limite possível do domínio da expressão da Vida. A sugestão é a arte que conduz a esse resultado.

A psicologia moderna e a comunhão do pensamento estão lhe ensinando a dirigir o Pensamento, que é a mais poderosa força do Universo, porque, em última análise, é a própria *Vida*.

Com a Vida, tudo lhe será possível, e sem ela, nada lhe será possível, pois ela é a primeira das forças.

Você agora está aprendendo a dirigir essa Força que é a Vida e da qual existe uma reserva infinita. Poderá manifestar mais vida recebendo a quantidade que precisar para seu uso. Este é o pensamento mais importante que você poderá realizar, afirmando:

A vida é infinita e recebo-a na qualidade necessária para meu uso.

Ao fazer essa afirmação, você deverá imaginar que está recebendo a vida e expressando-a; procurar pensar nela é senti-la em você.

Compreendendo que o sentimento ou emoção é a primeira manifestação da Vida, certamente você desejará saber o que é que lhe faz sentir e despertar sua emoção.

Logo você se convencerá de que toda emoção lhe é causada por alguma coisa exterior a você. Sentirá porque alguma coisa desperta sua sensação. Enfim, compreenderá que poderá pensar nessa sensação e repeti-la, porque todas as suas sensações primeiramente são despertadas exteriormente, conservadas em sua memória e repetidas por ela em seus pensamentos. Assim se dará tanto com uma sensação de alegria e prazer como com uma de tristeza e dor.

Porém, você poderá aprender a pensar de forma que evitará toda sensação de tristeza e dor, e o objeto desse estudo é ensinar-lhe a se livrar delas imediatamente em seus pensamentos.

Você não deverá deixá-las tomar lugar em sua memória.

Deverá governar seu pensamento e não pensar um só momento em coisas desagradáveis.

Poderá fazê-lo, se persistir em afirmar o seu domínio sobre seus pensamentos.

A Ciência lhe ensina a existência do poder de sua vontade sobre seu corpo, pela direção do seu pensamento.

Adquira o hábito de não dar atenção ao que é desagradável e, pela afirmação de coisas agradáveis, crie na sua mente só aquilo que lhe agrada, e só isso você expressará na vida objetiva.

Grave no seu íntimo essas palavras: Crio todas as minhas condições mentais e elas se refletem no meu ambiente. Portanto, devo vigiar continuamente os meus pensamentos e não admitir nenhum que eu não queira realizar na vida objetiva.

Assim fazendo, você terá a prova da verdade que tudo o que mantiver em sua mente — memória e imaginação — se expressará em seu corpo. Se conservar em sua mente pensamentos de doenças, resfriados, acidentes, pobreza, todas essas coisas se manifestarão, simplesmente porque você cria suas formas de pensamento. Desde que essas formas estejam em sua mente, serão moldes para a Vida se manifestar.

Pensando, você forma os moldes ou modelos de tudo quanto ocorrerá em sua existência. Não existe fato mais notável do que o expresso por estas palavras: "Crie as formas por meio das quais a vida se manifesta e poderá fazê-lo de acordo com os seus desejos."

Você cria as formas de sua vida objetiva exatamente como o mecânico estabelece primeiro a forma da máquina em sua mente e, em seguida, põe-se a construí-la, ou como o artista vê o anjo na pedra antes de desenhá-lo com o cinzel.

Você deve aprender o que terá de pensar e o que não deverá pensar. A regra é a seguinte: Não pense em nada daquilo que não quiser manifestar na sua vida.

Você não quer ser malsucedido, portanto, não pense no insucesso; não quer ter doenças, portanto, não pense nelas; não quer sofrer infelicidades, consequentemente não pensará nelas. Pense sempre no progresso, na saúde e na alegria.

Pense naquilo que você deseja como se já fosse um fato real. Conforme a força de seu desejo, assim será o poder de sua manifestação das coisas desejadas.

Poderá manifestar tudo quanto desejar, se souber desejar, isto é, se seu desejo tiver a força de um sentimento de posse permanente e real, no presente.

Quando sente o desejo de uma coisa, é sinal de que ela está se aproximando de você e então deverá pensar nela como se já estivesse presente e você estivesse de posse dela, porque somente assim poderá lhe dar expressão no mundo visível.

Enquanto você pensar no passado ou no futuro, não poderá obter um progresso real, porque as suas forças se dividirão.

Todas as suas sugestões e afirmações deverão indicar a posse presente do objeto desejado para poder manifestá-lo.

Ao fazer suas afirmações, você deverá dar ênfase e sentimento profundo ao "Eu Sou" ou a sua entidade regente.

Lembrando-lhe de que você é um canal de expressão para a Mente Universal, deve se colocar sempre em atitude harmônica e receptiva para com ela.

Você é tão necessário para ela como ela é para você. Sem você, o universo perderia a forma especial que é você: um algarismo vivo do Infinito; e sem você, Ele não poderia ser perfeito.

Portanto, respeite-se como uma indispensável manifestação de um Universo indivisível e inseparável. Acostume-se a pensar assim de você mesmo e encontrará nisso o poder de expressar com perfeição essas qualidades.

O pensamento reto prolonga a vida

Se você tiver a mente equilibrada e não ficar perturbado por coisas triviais, viverá mais do que aqueles que forem demasiado impressionáveis e que vivem em contínua agitação e ansiedade, sendo abalados pelo menor acontecimento desagradável.

As fortes emoções tenderão a encurtar a sua existência pela sua ação fatal sobre os órgãos mais importantes, como o coração e as glândulas.

A convicção de que a velhice é inevitável acha-se tão radicada em sua consciência que debilita sua eficiência num período da vida em que deveria estar no ponto culminante de seu poder mental e físico.

Você não deverá considerar as pessoas jovens ou idosas pelos seus anos, mas sim pelas suas condições mentais, seus interesses na vida, seu prazer de viver.

As pessoas progressistas, sadias, alegres e aplicadas em trabalhos úteis geralmente serão jovens em espírito, sejam quantos forem os anos que tenham atingido. Centenas de homens famosos conservaram suas energias físicas, seus poderes mentais e vigor criador até os oitenta ou noventa anos. Poderíamos citar as experiências deles para mostrar-lhe que a mente é o poder dominante do homem e que os pensamentos são forças poderosas que imprimem constantemente suas imagens em todas as células e tecidos do corpo humano.

Se o conhecimento necessário para prolongar a Existência fosse espalhado pelo rádio, os anos de idade da humanidade se duplicariam. A vida humana seria gozada até o último momento.

Quando passar a metade da sua vida, a sua atitude mental será o mais importante fator para uma "velhice feliz".

Para viver, é preciso amar a vida. Se você não tiver desejo de viver é porque existe alguma coisa errada em seus hábitos de vida. A fim de poder gozá-la em sua totalidade, seu corpo deverá estar livre de todo estímulo falso. Deverá ter possibilidade de executar seus processos sem atrasos e obstáculos. Suas maravilhosas máquinas deverão poder executar livremente suas funções em todas as partes.

Sobre este ponto, o Dr. Uriel Buchaman diz: "O leigo que entra em ocasional contato com artistas observa como um dos mais notáveis fatos o modo pelo qual eles conservam sua mocidade. Parece que uma fada agitou uma varinha e lhe deu Eterna juventude. São todos Peter Pan, que nunca envelhece."

Entrevistando Guy Bates Post, cujas palavras transcreve, assim se expressa: "Guy Bates Post é ativamente vivo, é muito ágil, conhece e desempenha seu papel tão bem que é considerado um dos melhores atores do nosso palco".

"Julgo que a razão por que as pessoas do palco permanecem jovens é devida ao fato de viverem muito no amanhã", disse o Sr. Post, ao ser entrevistado. "O ator, em geral, está mais avançado do que seu tempo. Vive, sonha e trabalha no país do amanhã.

"E vivendo no país do amanhã, esquece o dia de hoje, pois é a recordação de hoje e de ontem o que faz as pessoas envelhecerem. Afirmam que o amanhã é um dia que nunca chega, porém, hoje é um dia que sempre foi. Portanto, vivendo no amanhã e para o amanhã, o ator esquece tudo de hoje, e assim o tempo deixa de passar para ele.

"Numa só coisa o grande ator se desenvolve. É na sua compreensão da natureza humana. Cada caráter que cria, mais o aproxima do coração da humanidade.

"E vivendo tantas vidas como o faz o artista na criação de uma série de partes necessárias para constituir uma carreira, tem pouco tempo para pensar exatamente na única parte que está fora do palco. Nesse esquecimento se encontra outro segredo da juventude do artista. Entretanto, acima de tudo, o artista é uma criança no coração. Gosta do divertimento em fazer as coisas como as crianças fazem. Aplicando-se aos seus trabalhos, cria um espírito de realidade; se puder reter o mesmo elemento de poder esquecer o tempo e a sua passagem, também parecerá sempre ser jovem.

"Não são as perturbações, os sofrimentos e os trabalhos penosos que fazem envelhecer. É lembrar-se da passagem dos anos e notar que, dia a dia, está se afastando da infância. Permanecendo criança em pensamento durante os anos de sua Existência, o artista não dispõe de tempo para olhar para o passado e, dessa forma, se esquece de que existe idade."

Para afastar as rugas de seu rosto, você deve afastá-las de sua mente. As preocupações e as rugas andam de mãos dadas. Os pensamentos de aflição, medo e todas as emoções violentas traçam profundamente as rugas em sua mente, que as reflete no rosto. O processo de envelhecimento começa no coração, na mente e, em seguida, passa à vida celular do corpo físico.

A química mental ensina que as preocupações, tristezas, temores, ansiedades e milhares de perturbações inqualificáveis, assim como as paixões explosivas e os desejos sexuais pervertidos são condições mentais venenosas que aceleram a má saúde e fazem envelhecer rapidamente.

Conserve-se num espírito reto, com pensamentos retos, expressão alegre — a alegre atitude de um robusto otimismo que estimula e anima, olhando sempre para cima. Recusar os pensamentos é sugestão de velhice. Rejuvenescer-se em espírito é pensamento.

Harmonize-se com o Espírito do Tempo, sempre progressista e sempre renovado. Viva em união consciente com o eterno espírito da juventude. Pense em você mesmo como repleto das qualidades desejadas, até que as sinta dentro de você. Cresça continuamente em juventude, espírito e verdade. Conserve a sua mente e o seu coração numa atitude calma, equilibrada, alegre e renovadora.

Conserve-se em contato com a divindade da juventude e afirme a si mesmo:

"Renovo a minha fé e confiança na fonte da vida da luz, do amor perfeito e da juventude Eterna. O espírito de mocidade, a fonte de águas vitalizadoras, me liberta da velhice e da morte. Torno-me aquilo que vejo em mim mesmo. Tudo o que o verdadeiro pensamento me sugerir posso executar, tudo o que o pensamento me revelar, posso ser."

Pensamentos originais

A Substância Infinita individualizou-se em cada ser humano para poder ter uma expressão diferente em cada um. Embora a expressão física como Vida e a expressão psíquica como Amor sejam semelhantes em todos os seres humanos, a expressão individual como Pensamento é diferente. A individualidade consiste em pensar e não em viver e sentir.

Duas pessoas, embora estejam no mesmo ambiente, não terão a mesma vida intelectual. Dois poetas não escreverão o mesmo poema, dois cantores não poderão cantar a mesma música nas mesmas condições. Assim, é através da infinita variedade de expressão intelectual que a Substância Infinita encontra um desenvolvimento sempre crescente de Si mesma na consciência humana. O desenvolvimento da humanidade em novas linhas de pensamento é apenas uma expressão de Deus em evolução.

Cada nova expressão mental individual é um acréscimo à soma total da experiência humana. Somente na proporção que a pessoa pensa diversamente de todas as outras ela acrescenta alguma coisa ao conhecimento da humanidade.

Quanto mais distintamente individualizado e original for seu pensamento, maior benfeitor do gênero humano será o seu produtor.

É fato de observação comum que o uso de qualquer músculo desenvolve o poder para melhorá-lo mais. O uso de qualquer faculdade mental desenvolve nessa faculdade uma expressão ainda maior. Se você quiser correr, deverá praticar a corrida e, assim, desenvolver os músculos da rapidez. O lema do jardim de infância: "Aprenda a fazer, fazendo" aplica-se igualmente bem tanto ao jogador de futebol quanto ao orador. Para saber que tem músculos e células cerebrais, você deve empregá-los e, quanto mais os empregar, mais terá percepção de sua capacidade em usá-los. Isto é coisa comum e banal, tanto que sua aplicação é negligenciada e essa negligência resulta em doença física e em imbecilidade mental.

Assim como perderá o poder de andar ou de levantar o braço se não o usar, assim como qualquer faculdade física que não for usada se atrofiará, da mesma forma as suas faculdades mentais se atrofiarão pela falta de uso.

O cientista desenvolve as faculdades de observação e o filósofo a de reflexão, pela prática. O naturalista verá muitos pássaros, flores, insetos e diversas espécies de vegetação onde o olhar destreinado não veria coisa alguma. Thoreau encontrava cabeças de pardais nas pegadas dos pés de seus companheiros. Relata ele: "Caminhando em companhia de um amigo, ele chamou minha atenção para um pássaro que estava na ponta de um galho de árvore e que eu não tinha visto, porém, paguei-lhe na mesma moeda chamando sua atenção para uma flor que ele não viu ao pisar nela."

Da mesma forma, o poeta e outros artistas cultivam seus talentos pela observação e reflexão, até que desenvolvem intencionalmente esse instinto secundário.

A dissecação do cérebro mostra que, quando usado, as saliências sinuosas na superfície cerebral se aprofundam e a proporção da massa encefálica aumenta.

Visto que a Vida é uma corrente de fluxo contínuo do Absoluto através da expressão individual novamente para o Absoluto, deixando a cada indivíduo um aumento de consciência própria, deduz-se que, quanto maior for a expressão, maior será a Vida. E como a expressão individual consiste no pensar, conclui-se que quanto mais pensamento original você tiver, mais perfeita será a expressão da Vida. É fato que os profissionais, cientistas e filósofos, aqueles que constituem a classe dos pensadores, vivem mais tempo e têm melhor média de saúde.

Sendo verdade que o pensamento original é pensamento vivo e sadio, o inverso também é verdade.

A diferença entre o pensador original e aquele que aproveita o cérebro dos outros e vive sob a autoridade é a mesma diferença que há entre a corrente de água montanhosa, abundante é límpida, e a da água que mal parece correr. Aquele que não pensa por si não vive para si. O pensamento é a Vida transmutada, e aquele que não transmuta sua vida em pensamento não está exercendo o seu direito de viver. Paulo nos adverte que sejamos "pedras vivas" no templo da Vida. Pedras vivas deverão ser pedras ativas, pensantes, e não os simples pensamentos antiquados dos outros.

Cada vez que você deixa de pensar por si mesmo sobre um problema e procura alguém para resolvê-lo, está reprimindo a sua própria expressão de vida. O verdadeiro diagnóstico de muitos pacientes deveria se dar da seguinte forma: Sofre de excesso de crenças, sufocado pelo que dizem; paralisado pela plataforma política; adoentado pelos jornais; atacado de reumatismo pelos seus livros; atacado de febre pela autoridade doméstica, etc.

Todos esses "enfermos" procuram viver de acordo com o pensamento dos outros e, em consequência disso, estão morrendo como uma árvore com as raízes doentes.

O remédio está em despertar o respeito por si mesmo e a autoconfiança. Um grande número de inválidos veria a saúde voltar se começassem a pensar para si mesmos e em lugar de citar outros, dissessem: "Eu penso".

Realmente, não há ocupação tão sadia como pensar. Não há atitude mental tão recuperadora como a confiança em si. Se quiser se curar, em primeiro lugar você precisa crer em si mesmo. Jesus nos ensinou que a crença deve preceder o batismo, e em minha opinião essa crença é, em si mesma, uma manifestação da Infinita Sabedoria.

Se quiser curar-se, faça um rigoroso exame: Examine a base de sua opinião. Você utiliza o cérebro dos outros? Emprega o seu próprio? Se tiver o hábito de confiar numa autoridade ou pensar conforme a opinião dela, imediatamente inverta sua atitude e pense por você mesmo. Seja o que for que, pela sua razão, lhe parecer justo e melhor para fazer, faça-o, mesmo que seja contra a opinião do médico, do sacerdote ou do público. Este é o primeiro passo que você dará para sua saúde e nenhuma pessoa poderá ajudá-lo enquanto não agir dessa forma.

A afirmação que levará você para essa atitude mental é: "Sou um indivíduo. Não me submeto a autoridade alguma, exceto a minha razão e a minha consciência. Expresso e vivo sem temor, de acordo com as minhas convicções da Verdade."

A trindade
da sua existência

A importância da ideia expressa pelo título deste capítulo só é salientada pela tendência universal em negligenciá-la. Em todo o campo da Ciência Mental existe a tendência ao desequilíbrio e a dar todo valor a uma só fase da manifestação da vida, seja mental ou espiritual, e negligenciar totalmente a física. Além disso, existe uma tendência geral para ser movido mais pelo sentimento do que pela filosofia.

A Trindade da sua existência não pode ser negada e todos os ensinamentos de Jesus mostram que Ele a reconhecia como um fato. Em nenhum ponto ele negou o físico, mas sempre ensinou que o físico devia ser refinado, elevado à altura das vibrações do espiritual. Seu corpo com certeza é obra de Deus, e a lei de Deus age através do mundo natural ou físico da mesma forma que através do mental e espiritual.

Você recebeu leis para o cuidado do seu corpo e, obedecendo-as, conserva-os na condição física conveniente. Essas leis se referem à alimentação, ao exercício e à respiração e, se as desobedecer, o modo de viver de acordo com as leis mentais ou espirituais não poderá impedir os resultados físicos.

Ao negar o físico, você estará negando uma parte de Deus, porque, se Deus está em toda parte, certamente estará em todos os corpos, que são apenas manifestações do Espírito d'Ele.

Querer explicar os corpos, afirmando que são o resultado de mentes mortais, é falsear a questão, porque, se existe apenas Uma Mente, Deus, de onde virá a mente mortal?

O único ponto de vista filosófico que é correto é o de você aceitar que o corpo é manifestação do Espírito, expressa na existência pela lei, e que ele deverá ser conservado em condição pela observância da lei. A vida é manifestada em três planos — físico, mental e espiritual.

A grande massa do povo apenas alcançou a consciência do plano inferior ou físico, e se recebesse primeiramente o ensino das leis desse plano, seriam feitos maiores progressos na aceitação geral das novas verdades.

Quando tomar uma atitude de que não faz diferença o que você faz de seu corpo; se sua mente estiver certa, julgando que assim está fazendo bem, tomou um caminho perigoso. A incorreção disso é provada pelo grande número de pessoas de mentalidade elevada e espiritual que seguem essa regra e cujos corpos estão longe da perfeição.

A saúde deverá ser física, mental e espiritual, e as leis de um plano não agirão no outro. Jesus provou isso quando o levaram ao topo do Templo e lhe disseram que se lançasse dali e se salvasse. Ele concluiu que, fazendo assim, desobedeceria a uma das leis naturais, uma das leis de Deus, e disse: "Não tentarás teu Deus". Isso deverá significar que você não pode desobedecer a uma lei de Deus sem sofrer as consequências.

A maioria das pessoas se esquece que possui uma Trindade de Existência. Você observa as leis mentais e espirituais, porém desobedece as leis físicas e fica admirado de não progredir mais rapidamente para melhorar a saúde. Isso parece ser uma fraqueza da filosofia do Mentalismo, e para que a ciência mental possa dar os melhores resultados, será preciso corrigi-la. Ver Deus mental e espiritualmente e negá-lo fisicamente não é correto. A filosofia perfeita é a que ensina as leis dos três planos — ensina-o a governar seu corpo de acordo com a lei física e sua mente pelas leis mentais, e desenvolve sua Alma pelo reconhecimento de sua Unidade com Deus. Somente assim será realizada a perfeita manifestação nos três planos da sua existência.

Se você encher seu corpo com alimentos nocivos à saúde, desobedecerá a lei de Deus, e é a desobediência à lei que produz a discórdia, o sofrimento e a doença.

Aja corretamente, pense corretamente e permaneça sempre em união consciente com Deus: essa é a fórmula perfeita. Agir corretamente é comer, dormir e viver com retidão, e isso é importante.

Existem numerosos casos de pessoas de mentalidade altamente espiritual que, com todo o seu esforço espiritual e mental, se acham tão longe da boa saúde física, que esse fato se torna evidente. Se, com seu pensamento elevado, ao mesmo tempo não desobedecessem as leis físicas de Deus, estariam muito melhores. Certo indivíduo apreciado no campo do mentalismo, disse-me: "Não faz diferença o que comer, pois se pensar corretamente, isso não poderá prejudicá-lo". Não se convenceu de que isso simboliza que você pode desobedecer a lei de Deus em um lugar e observá-la em outro, sem que isso faça diferença.

Você não pode desobedecer a uma lei sem sofrer as consequências. Poderá se sugestionar de maneira a não ver as consequências, mas, como acontece com esse homem que está muito longe da saúde física, elas aí estão.

Aja com retidão em seu corpo. Pense com retidão em sua mente e viva em constante e consciente reconhecimento da sua Unidade com Deus e muito maiores serão os seus resultados.

Para formar seu caráter

Os resultados dos esforços que fizer para formar seu caráter serão acumulativos e cada esforço que for feito para melhorar sua vida ou conduta se tornará um processo inconsciente, que gradualmente lhe dará mais força de caráter para viver conforme desejar.

Isso, por sua vez, lhe permitirá produzir processos inconscientes mais fortes, continuando na direção da formação de seu caráter, que finalmente adquirirá maior número de boas qualidades. O resultado dessa atividade será lhe dar cada vez mais força para formar um caráter cada vez melhor; processo que prossegue indefinidamente.

O mesmo sucederá na formação de sua mentalidade.

Quanto mais você desenvolver sua mente, maior se tornará sua força mental para desenvolvê-la; porém, deverá pôr sempre em ação o processo inconsciente para produzir o desenvolvimento da sua entidade.

Nesse ponto, será bom lembrar-lhe que a principal razão de muitos não conseguirem melhorar e progredir é porque os seus desejos ou esforços para se aperfeiçoarem não são bastante profundos e fortes para se tornarem inconscientes.

Você poderá desejar, durante muito tempo, a sua melhora, porém, se os seus desejos forem fracos ou superficiais, não penetrarão em seu campo inconsciente, e assim não produzirão os resultados desejados.

Com relação à formação do caráter, você deverá se lembrar também que ele determinará, em grande parte, a direção que as outras forças da sua entidade tomarão.

Se seu caráter for forte e bem desenvolvido, todas as forças que puser em atividade serão construtivas, ao passo que, se for fraco, elas quase sempre se dispersarão. Não é somente no ponto de vista moral que isso é real, mas também em relação ao desenvolvimento mental.

Se você possuir um caráter fraco, sua capacidade será quase toda mal dirigida, por mais que trabalhe e por mais sinceros que sejam seus esforços para fazer o melhor possível.

É por esse motivo que muitas pessoas não realizam seus ideais. Não deram grande atenção à formação do caráter e, por isso, quase todos os esforços que fizeram para trabalhar seus ideais foram mal dirigidos e perdidos.

Sejam quais forem os seus ideais, por maiores que sejam os seus desejos de realizá-los, primeiramente será preciso que tenha um caráter bem formado e vigoroso. Embora possa pôr em atividade as maiores forças da sua entidade, não obterá resultados sem ter adquirido um caráter forte. É somente o caráter, isto é, a faculdade de seguir com firmeza uma linha determinada de conduta, que poderá dar uma direção construtiva aos seus esforços. Aliás, é fato conhecido que a pessoa de caráter forte, firme e bem desenvolvido facilmente progredirá, apesar das circunstâncias.

Aquilo que você pode chamar de suas forças superiores, age invariavelmente por meio de seus estados mais elevados de consciência, e como são essas forças que lhe permitem elevar-se acima do comum, será muito importante adquirir o poder de entrar na consciência das coisas sublimes em intervalos frequentes.

Não houve uma pessoa de valor que não tivesse experimentado esses estados sublimes. De fato, será impossível você se elevar acima da vida comum, sem absorver mais ou menos forças dos planos superiores da consciência.

Às vezes poderá sofrer críticas por se afastar das coisas terrestres, porém, será necessário que, de vez em quando, se afaste delas para encontrar o ideal que impulsiona sua vida e seu trabalho.

Poderá trazer para sua vida terrestre as mais poderosas forças, mas, para alcançá-las, será preciso que você se eleve frequentemente.

Não poderá obter ideias de valor; seja na música, na literatura, nos negócios, se a sua mente não se elevar acima da esfera material e, para obter o triunfo, é preciso que a sua mente esteja firme num ideal elevado e sublime.

Se você observar a mentalidade daqueles que possuem um valor real, daqueles que se elevaram e conquistaram a sua admiração, que alcançaram, pelo mérito, posições superiores, notará sempre que tiveram frequentemente seus momentos de concentração mental nos estados superiores de consciência.

Ao entrar nesse estado, sua mente se esquecerá das circunstâncias da vida comum e atuará em favor da realização de um progresso maior e superior.

Consequentemente, deverá compreender que esses estados sublimes de consciência, sendo bem empregados, invariavelmente elevarão você para o aperfeiçoamento e a grandeza.

Ao olhar para alguém que possa considerar como verdadeiramente humano, notará que sua personalidade expressa alguma coisa de superior ao comum e essa coisa existe, oculta, em cada um de nós. É um poder secreto, uma força oculta, que, se for posta em ação, produzirá coisas admiráveis.

Sempre que entrar em contato com os estados mais elevados dessas regiões superiores da sua mente, você sentirá, sem dúvida, ter ganho alguma coisa superior, alguma coisa que não possuía anteriormente, e essa aquisição certamente tornará sua vida mais forte e melhor.

Assim você vencerá as coisas comuns e irá sendo gradualmente desenvolvido o que for fora do comum.

Para se elevar ao modo melhor e mais completo, você deverá dar grande atenção às forças superiores e adquirir o hábito de entrar frequentemente em contato com os estados superiores de consciência. Se não quiser continuar a viver no plano comum, será indispensável que o faça.

Não deverá se esquecer que é necessário empregar todas as suas forças e não apenas as que percebe exteriormente, porque as forças mais poderosas são justamente as que se acham ocultas em seu íntimo.

Ao tratar dessas grandes forças que possui, você deve examinar rapidamente o campo psicológico em que funcionam.

Enquanto sua mente agir apenas sobre a sua consciência superficial, você terá muito pouco domínio sobre os elementos mais sutis da sua vida; porém, quando ela penetrar nas profundezas do seu sentimento ou no que poderíamos denominar o campo psicológico, então entrará em contato com tudo o que tem valor real e com a força para desenvolver esse valor.

São as forças ativas desse campo psicológico que determinam tudo o que deverá acontecer em sua vida, tanto íntima como exterior. Portanto, é preciso aprender a agir sobre o seu campo psicológico para se tornar senhor de si mesmo e criar seu próprio futuro.

Você pode definir o seu campo psicológico como sendo o campo da sua atividade subconsciente que penetra em toda a sua personalidade ou também pode considerá-lo como sendo a força animadora de toda a sua entidade.

O campo psicológico é uma parte da sua entidade que penetra os elementos palpáveis da sua vida material e todo sentimento profundo que tiver atuará sobre ele.

Entre as forças que se originam diretamente da emoção e do sentimento e atuam mais no campo psicológico, o entusiasmo é uma das mais úteis.

Nas inteligências comuns, o entusiasmo é desordenado e irregular, porém, quando essa força é bem dirigida, torna-se uma grande energia construtiva.

Quando você sentir entusiasmo por alguma coisa, sempre será por alguma coisa nova e melhor, isto é, por alguma coisa cujas possibilidades não conhecia anteriormente.

Sendo bem dirigido, o seu entusiasmo fará sua mente se encaminhar naturalmente para essas possibilidades e será muito fácil dirigir seu entusiasmo pela concentração da sua atenção exclusivamente sobre aquilo que o inspira.

Você compreenderá então que, se dirigir seu entusiasmo para as possibilidades que o inspiraram, não só seu entusiasmo aumentará, mas também as forças da sua mente aumentarão a tal ponto que, um dia, realizará as possibilidades para as quais sua atenção foi dirigida.

Duas outras forças pertencentes a este grupo são a apreciação e a gratidão.

Sempre que apreciar uma determinada coisa, você adquirirá consciência da sua qualidade real e, possuindo consciência da qualidade de uma coisa, começará a desenvolvê-la em si mesmo.

Ao apreciar o valor de alguém, você imprimirá em sua mente a ideia desse valor e assim fará com que o mesmo efeito se produza, até certo ponto, em você mesmo.

O mesmo se dará pela apreciação do seu verdadeiro valor. Se apreciar o que realmente você é e tiver a ambição de se fazer cada vez mais apto, focalizará sua mente nas coisas superiores e empregará o que já possui como base para maiores resultados. Porém, se sua apreciação própria for inferior, não terá base para um progresso maior. Assim, portanto, você deverá afirmar sempre que é capaz de lutar e vencer, realizando as suas aspirações.

Ao apreciar a beleza de um objeto, desperte sua mente para uma compreensão maior e melhor da beleza e a sua mentalidade se tornará mais bela.

O mesmo acontecerá com todas as outras qualidades. Tudo aquilo que sinceramente apreciar tenderá a desenvolver-se em você, e nisso se encontra um notável segredo para concentrar perfeitamente sua atenção, de um modo natural e sem esforço, nas coisas que você realmente aprecia.

Sempre que tiver um sentimento de gratidão por causa de alguma coisa, mais você se aproximará das qualidades reais da mesma.

Assim também, se não tiver sentimento de gratidão por qualquer benefício recebido, estabelecerá uma parede mental entre você e as boas coisas da vida.

Pelo contrário, se você tiver gratidão por tudo o que recebeu de bom, se colocará em contato íntimo com as melhores coisas que existem.

Você poderá ter, às vezes, desilusões em certas ocasiões da sua vida e não obter o que realmente deseja, porém notará que, quanto maior for a sua gratidão, menores serão as suas desilusões. Não deverá esquecer-se que ninguém, nem mesmo o próprio Deus, dá maior atenção para aquele que está sempre se queixando. Pelo contrário, aquele que se mostra realmente grato nunca deixará de ser atendido da melhor forma possível.

O lado mais importante desta lei está no fato de que, quanto mais você se mostrar grato pelos bens recebidos, mais intimamente estará em contato com o poder que produz o bem recebido.

O espírito da opulência

É um grande erro julgar que, para poder desenvolver maior poder e utilidade, você deve se restringir ou se sacrificar.

Se pensar e agir assim, você estará fazendo um conceito tão limitado do Poder Divino que a melhor aplicação que faria dele seria tomar uma atitude de economia mental e material.

E se acreditar que lhe é necessário uma espécie de poupança forçada na produção de boas obras, enquanto mantiver essa crença, certamente assim será para você.

Diz o apóstolo: "Tudo o que não pertence à fé — isto é, não está de acordo com a sua crença sincera — é pecado". De fato, agindo em desacordo com aquilo em que acredita, você está dando uma sugestão de oposição ao Espírito Divino, e isso necessariamente anulará seus esforços e o envolverá numa atmosfera de desconfiança e tristeza.

Porém, tudo isso existe e é produzido pela sua crença, e se examinar as bases dessa crença, você perceberá que ela se apoia numa falsa compreensão da natureza dos seus próprios poderes.

Se você se compenetrar claramente de que o poder criador em você é limitado, verá que não há motivo para limitar a extensão em que gozará aquilo que assim criou. Ao receber do Infinito, não terá necessidade de recear que receberá menos ou mais do que lhe foi devido.

Não é nisso que se acha o perigo. O perigo para você está em não se compenetrar suficientemente em suas riquezas internas, e em considerar os produtos exteriores de sua própria força criadora como sendo a sua verdadeira riqueza, quando ela só pode ser a força criadora do espírito.

Se evitar este erro, não terá de se limitar no recebimento do que você deseja do armazém do Espírito Infinito, porque, como deveria saber: "Todas as coisas são suas".

O modo de evitar esse erro é compenetrar-se de que a verdadeira riqueza está em se identificar com o espírito da opulência. Você deverá ser opulento em seus pensamentos. Nesse caso, não pense no dinheiro em si, já que é apenas um meio de opulência. Pense na opulência, isto é, na grandeza, generosidade, liberalidade, e notará que os meios de realizar esse pensamento lhe virão de todas as partes, quer em dinheiro, quer em outras coisas que não poderia obter com dinheiro.

Você não deve se fazer dependente de qualquer forma particular de riqueza ou insistir em que ela lhe venha por um canal particular, já que isso seria impor-se uma limitação, fechando os canais para outras formas de bens.

Você deve entrar no espírito da verdadeira riqueza em si, isto é, senti-la em você. O Espírito é Vida, e no universo inteiro a vida consiste na circulação, tanto no seu organismo como no sistema solar. A circulação é um contínuo fluir de um lugar para outro, e o espírito da opulência não faz exceção a essa lei universal da vida.

Quando esse princípio se tornar claro em sua mente, você notará que deve ficar mais atento ao dar que ao receber. Não deverá pensar que é pobre, nem um fundo para receber benefícios, mas, sim, que é centro de distribuição e, quanto melhor exercer suas funções centrais, maior será o influxo que receberá.

Se você fechar a saída, a sua corrente diminuirá até desaparecer, e você só poderá obter um fluir completo e livre conservando aberta a saída.

O espírito da opulência — o modo de pensar opulento — consiste em cultivar o sentimento de que você possui toda espécie de riquezas que pode *distribuir aos outros* e que pode fazê-lo prodigamente, porque, fazendo assim, abre o caminho para maior suprimento.

Você dirá, porém: "Tenho tão pouco dinheiro que quase nem sei como pagar o supermercado. Que devo fazer?"

A resposta é que deverá sempre partir do ponto em que você está, e se nesse momento sua riqueza no plano material não for abundante, isso não o impedirá de começar por esse plano.

Existem, nos planos espiritual e mental, outras espécies de riqueza que poderá dar e, apesar de não ter um centavo no banco, poderá partir desse ponto, praticando o espírito da opulência.

Então, a lei universal de atração começará a agir. Você não só irá experimentar um influxo nos planos intelectual e espiritual, mas também ele se estenderá para o plano material.

Se realizar o espírito da opulência, não poderá deixar de atrair para você os bens materiais, assim como também a riqueza superior que não pode ser avaliada em dinheiro.

Se você compreender realmente o espírito da opulência, não fingirá desprezar o dinheiro, nem lhe atribuirá um valor que não tenha. Assim, o coordenará com outros modos mais internos de riqueza, de maneira a tornar o seu dinheiro instrumento material para abrir caminho para expressão dessas riquezas superiores.

A riqueza material, empregada com a compreensão de sua relação com a riqueza espiritual e a intelectual, se une a elas e deixa de ser um empecilho para o aperfeiçoamento.

Não é o dinheiro que é a raiz do mal, mas sim o amor a ele. O espírito da opulência é a atitude mental mais afastada do amor ao dinheiro, pois não depende dele.

O espírito da opulência crê no generoso sentimento que é o conhecimento intuitivo da grande lei da circulação que o levará, ao fazer um empreendimento, a não perguntar: "Quanto ganharei nisso?", mas sim: "Quantas coisas farei com isso?"; pensando na utilidade de seu trabalho e na extensão do serviço que vai prestar, o recebimento necessário se efetuará com generosa abundância, vindo espontaneamente e em direção reta.

Você não terá de dar o que não recebeu, nem fará dívidas para dá-lo. Porém, terá de dar generosamente o que tiver, com a compreensão de que, assim fazendo, estará pondo em atividade a lei da circulação e, à proporção que essa lei lhe traga maior afluência de bens de toda espécie, seu *dar* deverá aumentar, não o privando da expansão da sua vida, mas, sim, verificando que a sua expansão o tornará instrumento cada vez mais poderoso para a expansão da vida dos outros.

"Viva e ajude os outros a viverem" é o lema da verdadeira opulência.

A razão por que o nosso mundo é tão cheio de aborrecimentos e tristezas, além de ser tão agitado, está no desejo que os homens têm de receber e não dar, desconhecendo a lei Eterna de Deus que quem mais dá, mais recebe, quando a dádiva é sincera e desinteressada.

De minha parte tenho procurado dar-lhe o que melhor possuo em conhecimentos, não poupando esforços para lhe oferecer tudo o que tenho de melhor para sua felicidade e progresso, e faço-o com todas as forças da minha alma.

O poder da expressão

Está sempre em seu poder expressar aquilo que você deseja expressar, embora isso concorde ou não com o que você denomina fatos. Por exemplo, está em seu poder expressar-se perfeitamente na questão de riqueza, sem ser possuidor real do seu correspondente material que é o dinheiro, na medida em que se expressar. Por outro lado, existem indivíduos que podem expressar-se nas mesmas linhas e que são possuidores atuais da riqueza sobre as quais se expressam. Aqui você tem a questão de uma expressão que não tem um correspondente material, de um lado, e a outra que o tem.

Se a expressão for realmente poder, por que é que existe uma diferença tão grande manifestada no exemplo dado? Seria razoável supor que, no primeiro caso, a expressão é em si mesma um Poder, que poderia ser aplicado para manifestar o que fosse desejado, no caso seu correspondente material, o dinheiro, conforme o exemplo. Porém, você sabe que não é assim, e para provar realmente a parte material da expressão, você deverá necessariamente estar na posse do correspondente material, na mesma ocasião em que a expressão for feita, pois do contrário, estará apenas afirmado alguma coisa no caminho da expressão que não é apoiada pelo seu correspondente material como fato demonstrado.

Você tem dois polos distintos: um o da Expressão com o suprimento visível, demonstrável como fato aparente e concreto, e o outro, da Expressão sem o suprimento visível e não demonstrável como fato concreto aparente na ocasião em que a expressão é feita.

Isso então o leva para a Fé, e a fim de prová-la, você deverá empregar esse problema, pois a Fé trata do possível, do invisível que deverá se tornar visível fato concreto, pela ação da verdade de que somos senhores em consequência do fato eterno do Poder de Deus.

Muitos observaram que a Fé deveria ser respondida quando é verdadeira e sincera, quando se apoia absolutamente no poder de Deus. Efetivamente é. Nenhuma prece a Deus poderá ficar sem resposta. Por que é que muitos que têm fé sincera, digna e verdadeira parecem não ter seus desejos realizados? Você não foi aconselhado a *creia* que *já* recebeu e *receberá*?

Em sua prece a Deus, ao expressar seus desejos a Ele, firme na crença em Seu Poder de responder-lhe espiritual e materialmente, essa expressão deverá ter resposta, pois você notará sempre que deverá haver dois polos em cada proposição. Na crença que você já recebeu aquilo que pediu ou se expressou como desejando ver manifestar-se, você já muda a sua polaridade de falta na de abundância.

Alinhando sua consciência dessa forma, naturalmente tudo o que vier a pedir virá a você, porque assim você atrai as coisas que precisa. À proporção que progredir em sua fé, sua Consciência de Abundância irá até o ponto perfeito em que ela mergulhe na própria coisa que foi desejada, e você possa expressar como fato a própria coisa, consciente de que a tem para manifestá-la e não apenas com um sentimento de necessidade.

O que é melhor? Crer na falta ou crer na onipresença e onipotência da Abundância? Abundância para satisfazer todas as necessidades? Abundância para todos os desejos?

Examine esse assunto da expressão da Fé de outro modo, pois muitos de nós ainda não chegaram à plenitude da fé.

Você que afirma que teve Fé e a tem ainda e não obteve resposta ao seu pedido, reflita sobre o seguinte:

Não é fato que as coisas que você pede não existem realmente, isto é, o ponto que quero fazer sobressair em sua mente é se realmente não existem? Não, você responderá; outros as possuem, eu não. Pare! Admitiu que não as tem. Será isso a plenitude da Fé, será isso a crença completa em que as tem, da mesma forma que os outros?

Não pode haver falta na plenitude da fé, já que a plenitude da fé é abundância ilimitada. Essa é a fé que faz maravilhas — a Fé ou o pleno conhecimento consciente — da onipresença e da onipotência da Abundância, Eternamente. Assim, para ter seus desejos realizados, você deverá obter essa consciência ilimitada da onipresença e onipotência do Eterno Suprimento, firmemente fixo como um princípio atuante de sua vida, ou, realmente, o verdadeiro princípio atuante da sua vida.

As coisas que precisar lhe virão natural e facilmente, no seu tempo conveniente, sem embaraços e ansiedades, pois elas não possuem poder para se manifestarem como você tem poder para crer na manifestação delas? O que você precisa fazer é ligar seu poder ao poder delas, de forma que o princípio atuante seja UM.

Que disse Jesus? "Eu e meu Pai somos um". Não é seu Pai o Suprimento, o Poder e todas as coisas desejáveis? Não é Ele a plena Consciência de Abundância, Poder e Felicidade? Entretanto, você não deverá pensar que Ele está separado de você. Isso é coisa que não pode acontecer. Não é possível se ver como alguém que realmente desejaria considerar a Gloriosa Bondade separada. Não seria completa tolice não desejar compenetrar-se plenamente de que Deus é onipresente em você e ao redor de você?

Há pessoas, porém, que persistem em crer que Ele está separado. Não disse o Mestre: "Procure primeiramente o Reino dos Céus, e todas as coisas lhe serão acrescentadas"? O Rei dos Céus é Deus e o Reino de Deus está dentro de você; como, então, poderá haver uma separação? Somente quando não O procura, e parece haver uma separação.

Porém, quando você procurar e encontrar, isso mudará consideravelmente as coisas e o seu Poder de Expressão se tornará o de Deus.

A simplicidade
do espírito

A simplicidade da vida é realmente maravilhosa. O mundo fenomenal ou da natureza é expresso em termos muito simples. Existem plantas, vegetais, terra, ar, animais e coisas semelhantes que expressam vida. Aquilo de que o homem vive, no mundo, no que trabalha é realmente simples. Madeira, minas, óleo e gás, os produtos agrícolas, são as matérias de que trata o mundo material e de que depende.

Certamente, você poderá se maravilhar da diversidade ilimitada de coisas materiais que são tiradas dessas poucas matérias básicas. Pode ver também uma ilimitada transformação que se processa continuamente em todo o mundo. Poderá se admirar da enorme quantidade de materiais tirados dessas simples matérias básicas, e poderá ver no mundo material um vislumbre da imensidade do Infinito.

Por causa da grande diversidade que as simples matérias básicas do mundo material produzem, muitos foram desviados para a conclusão de que somente a matéria poderia existir para a vida. Não percebem mais do que aquilo com que se envolvem ou em que se empenham materialmente, não sendo de admirar que tantos ficam envolvidos no mundo material como escravos. Esse é o resultado inevitável quando levam uma intensa vida material, embora tenha sido claramente estabelecido pelo Senhor que o homem deverá ter domínio sobre todas essas coisas. Certamente, o homem tem domínio, porém muitos perdem a atitude que deveriam ter em relação às coisas materiais e se tornam escravos das ideias materiais.

Deus, dando-lhe domínio sobre todas as coisas, o fez a fim de que você possa usar de modo sábio e perfeito tudo o que encontre e, ao fazê-lo, seja o sábio senhor de todas as coisas com que você se relaciona.

Efetivamente, em sua vida diária você deverá tratar de coisas materiais. Realmente, não pode designar nem o próprio Espírito como não sendo material, por isso tudo o que tem nome ou que poderá se tornar consciente de conhecer, deverá ter ao menos substância como base para sua manifestação em você. Portanto nada pode haver que seja absoluta negação ou não material. O próprio espírito é material quando está fora de si mesmo, como base, como tudo o que você sabe que foi feito. A verdade é que ele é uma substância mais fina de matéria da que é geralmente material manifestado.

É material perfeito, original, absoluto de que tudo provém. Portanto, em suas ideias, que são, na base, Substância, e, portanto, materiais em si mesmas, não perca de vista que o Espírito é matéria perceptível, capaz de ser conhecida como todas as outras coisas. Porém, ao procurar conhecer o Espírito, você deverá compreender verdadeiramente que, na realidade, é necessário estar no mesmo plano em que o Espírito se manifesta.

As suas ideias, a sua própria mente, deverá se tornar tão simples como o Espírito que você deseja conhecer perfeitamente. Certamente, sua mente e suas ideias são esse Espírito em manifestação, e quanto mais fina for a qualidade que produzir em sua mente, mais poderá ter certeza de que você está relacionado com a perfeição do Espírito.

Se a simplicidade básica da natureza é como foi explicada, então, você também como ser manifestado, é, em sua perfeição, exatamente tão simples, basicamente, embora pareça muito complexo. Cristo expressou essa simplicidade de existência em cada pensamento e ato. Se Ele o fez, então o próprio Deus deverá ser simples também em seu ser e na manifestação.

Realmente, o mundo é repleto e impregnado pelo Espírito e a Substância de Deus. Onde quer que vá, Ele estará, tanto em você como ao redor de você. Portanto, estando tão consciente e diretamente imerso em Deus e perfeitamente vivendo n'Ele e com Ele, que é a Perfeição do Espírito, como poderá ser possível que você possa não ser perfeito em Espírito?

O simples fato de sua manifestação como ser é prova positiva de que você é perfeito; pois, se não fosse perfeito, como poderia manifestar-se? Assim, isso prova a infalibilidade do Espírito, a absoluta perfeição que é.

O seu erro está em crer na imperfeição quando ela não existe, nem pode existir como realidade. Essa verdade absoluta é a que, apresentada pelo metafísico ou por aqueles que são perfeitamente conhecedores da verdade do Ser, cura as pessoas. Porque, tão logo você veja que essa afirmação é razoável e verdadeira, você ficará aliviado por meio da verdade, todos os seus poderes internos curadores se despertarão pela sua visão, conhecimento e compreensão completa de que não poderá existir doença, se o onipotente e onipresente Espírito, com quem você é sempre uno, é saúde e nada mais pode ser senão saúde.

O mundo da natureza nunca está doente. Aquilo que você conhece como material nunca está doente. É somente quando as pessoas não seguem naturalmente as leis da sua vida, que pensam na existência de doença.

O fato é que a doença nunca existiu e não poderá existir, pois a verdade da existência, como Espírito manifestado, que é sempre saúde, nega esse erro permanecendo sempre saúde.

Afaste completamente da sua mentalidade a idéia ou pensamento de doença como realidade, e o único resultado que poderá se dar é o que está sempre imanente — a saúde.

Da mesma forma, afaste da sua mente tudo o que for erro, e você permanecerá somente aquilo que sempre existe, sempre existiu e sempre existirá: a Verdade da existência absoluta e sublime.

O espírito do natal

Você descobrirá um dia que aquilo que agora você atribui ao dia do nascimento de Jesus — esse espírito de alegria, gozo e dádivas de amor — pertence ao dia do nascimento do Cristo ou começo da nova época, e ao ver o simbolismo desse dia maior, você se apressará a expressar o espírito que dará ao mundo aquilo que você almeja possuir, porém não ousa pedir.

Lembre-se, querido irmão, de alguma coisa que se relaciona com a festa do Natal e, ampliando a sua visão, verá essa coisa em sua verdadeira significação universal.

Saiba que, antes de tudo, é costume familiar, no dia de Natal, os filhos se dirigirem à casa paterna, descansarem no amor do pai e da mãe e se sentirem novamente no "lar".

Quando o espírito do Natal se estender por todo o nosso mundo e você reconhecer que é filho do Altíssimo, e que ninguém na Terra é seu pai, então, realmente voltará à casa de seu Pai, e como o filho pródigo de antes, verificará que seu bem está a sua espera e se admirará de ter permanecido tanto tempo na "terra afastada".

Você sabe também que, quando os filhos voltam à casa paterna no dia de Natal, constituem entre si uma alegre reunião. Que alegria, que felicidade isso lhes traz! Que recordações agradáveis são despertadas! Na felicidade do dia e na alegria da reunião, como lhes parecem insignificantes as diferenças que podem ter experimentado no passado! Como elas desaparecem na amável realização de unidade! Como é pequena a separação em relação à unidade e como é insignificante um pensamento de crítica comparado com o de amor.

Assim também, quando o espírito do Cristo encontrar universalmente seu caminho no coração de vocês, como ficarão alegres por estar reunidos, saber e compreender suas verdadeiras relações mútuas, como se alegrarão por esquecer tudo o que os separava em pensamentos e aumentava a infelicidade e a desarmonia entre vocês!

O amor é imensamente mais admirável e poderoso que o ódio, a tal ponto que este se apagará na sua insignificância e desaparecerá nas cinzas de sua própria chama.

Essa memorável reunião se dará ao redor de brilhantes fogueiras, em que se ouvirão os estalidos de aromáticas madeiras se misturarem com as vozes alegres dos cumprimentos ao oferecerem e retribuírem as belas lembranças, as "ilusões da infância" — antes tão seriamente consideradas serão, então, alegremente abandonadas.

Em dado momento, alguém anunciará a "Ceia de Natal", que será a festa do dia. Rindo alegremente, todos se dirigirão para a sala de jantar e observarão o quanto abundantemente foram abastecidas as mesas de boas coisas! Aquela abundância dava para todos, por maiores que fossem os seus desejos.

Bastará a menor compreensão de sua divina relação mútua para se compenetrar de como a mesma festa, somente num sentido mundial, será preparada para todos vocês quando se reunirem no amor divino diante do fogo da Existência Perfeita, e "rindo-se de suas diferenças", você se dirigirá ao tesouro de seu Pai, para ser abundantemente alimentado em "Sua mesa".

Quanto o amor enriquece e concede e como generosamente todos são abastecidos quando todos se amam mutuamente e querem que cada qual tenha seu lugar à mesa e seja servido pela mesma Fonte de todo o Bem!

Quando os presentes não foram distribuídos de manhã bem cedo por Papai Noel que os coloca embaixo da árvore de Natal, então, certamente aparecerá agora com sua fisionomia alegre, entregando a cada convidado inúmeros brinquedos. Cada filho recebe um presente do pai e da mãe e também dos outros filhos. O pai e a mãe trocam seus presentes e cada filho se lembrou deles com uma surpresa amável — alguma coisa secreta e pessoal cuja utilidade compreendeu.

Que símbolo admirável é essa troca de bens! Cada um dá um presente e recebe outro. Manifestam-se, então, mutuamente um reconhecimento tão feliz, uma surpresa tão alegre e uma apreciação sincera.

Assim também, quando o alegre espírito do Natal abrandar todos os corações e despertar o amor dos filhos de Deus para seus irmãos, então, quanto você se alegrará ao ver que cada um de vocês veio ao mundo com uma dádiva que nenhum tem igual para oferecê-la ao mundo! Como será agradável então a troca de dádivas! Como me regozijarei com as suas e você com as minhas! Como ficaremos surpresos com as dádivas que os outros nos farão; ninguém adivinhará como será preciosa a dádiva que receberá, é só poderá sabê-lo quando a descobrir. Você compreenderá então que seus irmãos eram admiráveis e ficará espantado de não ter compreendido seus "atos estranhos", enquanto estavam no processo de "fazer ou preparar" suas dádivas.

Ao se compenetrar do que é o Espírito de Natal e como o mundo poderá ser transformado por ele, por que você haverá de usá-lo um só dia do ano, por que não fará que todos os dias sejam dias de Natal?

A escuridão da "noite que precede o Natal" poderá pairar sobre você, que talvez duvide de que o dia está surgindo, mas certamente virá, pois o Cristo o previu e mostrou como, no meio da mais extrema escuridão, a luz do amor poderia expressar-se e reduzir as trevas a nada.

Espere pacientemente e observe que, apesar da noite, o dia de Natal para o mundo todo está surgindo!

O hábito racial de envelhecer

Acho-me perfeitamente convicto de que a velhice é um hábito racial. É um hábito que penetrou na expressão da vida humana através de milhares de anos de pensar e viver errado. Tenho confiança em que é um hábito que será vencido quando a humanidade entrar numa realização mais completa de si mesma na Verdade.

Provavelmente, quando você passar os quarenta anos de expressão terrestre, seus amigos começarão a pensar que você está entrando no declínio da vida. Apesar de toda a sua filosofia, você encontrará dificuldade em pensar nos anos seguintes, exceto pelo modo antigo de considerar que a velhice está chegando. Instintivamente você teme a velhice como teme as serpentes. Esse é um dos pensamentos mais profundamente entranhados no pensamento da humanidade.

Não é por um pensamento ser instintivo ou subconsciente que é verdadeiro. A maior parte dos pensamentos instintivos comuns à humanidade, que se originaram na primitiva experiência humana, é falsa. O pensamento de Deus que surgiu na mente do homem primitivo foi um pensamento de temor, e por consequência, foi uma concepção absolutamente falsa do Poder único do Universo. A concepção humana que o homem formou de si mesmo como separado de Deus foi outra grande concepção falsa que facilmente foi aceita pela mente e consciência dos homens.

É instintiva em você a desconfiança do estado de velhice e você espera com temor sua aproximação. Embora seja verdade que, na maioria dos casos, a velhice seja uma condição desagradável, será necessária essa condição no desenvolvimento do homem? Acho que não.

Em muitos dos ensinos do Novo Pensamento, falou-se sobre a possibilidade de conservar a imortalidade terrestre, e vimos muitos homens e mulheres que estavam plenamente em decadência mental e física afirmarem que haviam chegado à consciência da imortalidade terrestre. Certamente, tinham vigoroso desejo de viver, porém não possuíam a capacidade de viver. Muitos deles já morreram.

Por isso você deverá ter, em primeiro lugar, uma ideia razoável da vida.

Você deve ter o cuidado de não fixar sua mente em coisas ilusórias, por mais atrativas que pareçam ser. O que você deverá fazer é se colocar na relação conveniente com a Realidade e compreender os poderes inerentes da sua Entidade.

O grande Poder que se manifesta em toda parte, no universo, lhe deu um corpo que era destinado a corresponder em perfeição durante sua permanência na Terra. Grave firmemente esta ideia em sua mente, e ao ser tentado a reconhecer qualquer expressão do que se denominam sintomas de velhice, convença-se de que é o pensamento racial que está procurando se manifestar em você. Vença esse pensamento racial, não negando as condições, mas, sim, afirmando que você possui aqui, no presente, um corpo perfeito que lhe servirá com perfeição enquanto precisar dele nesta vida.

Dê atenção também à conveniente atividade física para vencer a tendência que o corpo manifesta em correspondência a essa condição racial. Por exemplo, se seus membros se endurecem, afirme que são ágeis e flexíveis, e exercite-os persistentemente.

Ao envelhecer, você terá tendência a abandonar todo exercício e esforço, e essa atitude para com o seu físico e o pensamento racial logo o abaterão. Esta forma de pensamento e esforço se aplica a toda condição relativa à ação da velhice em sua vida. Sanford Bennet, no seu livro *Exercícios no Leito*, relata como venceu os estragos do tempo em seu corpo, por meio do uso conveniente do exercício muscular e do pensamento. Este é o único meio pelo qual o corpo poderá ser conservado bem disposto e útil.

Nesse sentido, a velhice é consequência do abandono. É abandonar-se mental e fisicamente à experiência da maioria dos que passaram antes de você. Viva a sua própria vida e deixe de pensar nos que passaram. A experiência deles não deverá necessariamente ser a sua.

Disse alguém que o homem cava sua sepultura com seus dentes, e quanto mais eu vivo, mais comprovo a verdade dessas palavras. Quando for a um restaurante, observe a alimentação absorvida pelos que o rodeiam. Certa senhora muito corpulenta afirmou que tinha um pássaro que comia mais do que ela. Aconteceu de eu estar sentado ao lado dela num restaurante e vi que ela se serviu da mais abundante refeição que eu já havia visto. Além de um grande prato de sopa, ela comeu um prato de ervilhas, outro de macarrão, batatas em quantidade suficiente para dois, carne e um grande pedaço de torta. Relato-lhe isso apenas porque é hábito geral ceder ao apetite e, em vez de alimentar-se para viver, vive-se para comer. Sem comentários.

Lembre-se de que para desfrutar o prazer da alimentação não é preciso ter o apetite de Falstaff. Você terá mais prazer ao comer exatamente a quantidade conveniente para a nutrição do corpo, porém o que é mais importante, a combinação dos alimentos deverá ser bem feita.

Coma o alimento que lhe agradar, em quantidade normal e suficiente para alimentar seu corpo. Procure conhecer as combinações que se harmonizam com a sua natureza e exercite diariamente seu corpo para conservá-lo em condições de corresponder ao seu pensamento.

Pelo fato de o pensamento ser o poder que dirige a vida e governa o corpo, muitos julgam que poderão viver muito, apesar de abusos e excessos. Julgam que poderão comer mais do que lhes convém e absorver toda espécie de alimentos, em todas as combinações possíveis. Em outras palavras, pensam que, se conservarem a atitude mental conveniente, poderão abusar do corpo e continuar com ele em boas condições. Porém, não é possível fazê-lo, porque, para conservar seu corpo em boas condições, você deverá ter bom-senso.

Ao enfrentar o futuro com essa atitude de bom-senso, sabendo que é Filho de Deus, você não temerá esse futuro. Seu corpo corresponderá com a perfeição física, e quando chegar o tempo de despir-se de sua vestimenta mortal, você o fará com perfeita posição e sem doença. Essa é a sua verdadeira vitória sobre a morte, não a realização da imortalidade terrestre. Por isso, para encontrar uma expressão maior como Filhos de Deus, você deverá ir para um plano de manifestação superior.

A garantia de sua imortalidade

Você emprega a palavra universo com frequência, porém, não sabe apreciar o valor dela. Tem a mesma origem que a palavra unidade. Quer dizer um todo. A unidade é a base de todos os cálculos matemáticos, seja para a venda de qualquer coisa ou para o cálculo da trajetória de um cometa. Portanto, ao falar do universo, fala-se de um todo, alguma coisa que não pode ser acrescentada, diminuída ou dividida, alguma coisa incomensurável, inconcebível e ilimitada, que não tem espaço nem tempo.

Pense num universo, repleto de alguma coisa, cheio de si mesmo. Que é esse "si mesmo"? Na teologia cristã é denominado Deus. Outras teologias têm outros nomes para Ele. A ciência o denomina força. Herbert Spencer o denominou "O Incognoscível" (ou *o que não pode ser conhecido*). Não acontece, porém, que toda tentativa de defini-lo o limita? "O Incognoscível" de Herbert Spencer é uma limitação, logo, você conhece alguma coisa do universo, que é ele, já que é parte indivisível dele. Conhecerá mais dele amanhã.

Portanto, o universo é o conhecido; o que se conhecerá é o incognoscível.

Ao pensar no universo, você pensa que está cheio de alguma coisa. Que deverá estar repleto. De quê? Do incognoscível e, por isso, imagine o éter, que é "um suposto meio, que enche todo o espaço, através do qual as vibrações da luz, o calor radiante e a atividade elétrica são propagadas". Esse meio imaginário, "cuja existência a maioria das autoridades modernas considera estabelecida, é considerado mais elástico do que qualquer forma comum de matéria, e existe em todo o espaço conhecido". Isso é o que diz a ciência. Apoia-se na hipótese de alguma coisa imaginária que é manifestação de outra coisa além de si, que ainda nem sequer foi imaginada.

É razoável se dizer que o éter científico é manifestação da substância original. Portanto, em última análise, a substância e a inteligência deverão ser manifestações do Uno original.

Qual a primitiva manifestação do original um? Deverá ser alguma individualização — alguma *Coisa*. Outrora era o átomo. Na atualidade, a ciência divide o átomo em um milhão de íons. Porém, ela chegou à unidade final? A ciência já pretende que o próprio íon é divisível. Supondo que continuem a dividir e subdividir, se afinal fosse possível atingir o indivisível, seria o Absoluto, o Uno!

Porém, o íon lhe ensinou uma coisa; que, seja o que for a Substância Original, só tem um modo de manifestação, que é o movimento. O universo está repleto de íons. Cheio, repleto, note essas palavras. Não existe o vácuo igual a um só íon, no universo; portanto, embora o universo seja movimento, nada se move, nenhum íon muda de largura em relação a qualquer outro íon. Você pode ver o grande significado disso? Todos os movimentos aparentes dos planetas, nuvens, quedas-d'água, animais e o homem são ilusões. Para mover uma coisa deverá existir um vácuo ou lugar vazio para o qual ela seja movida e deverá ficar um vácuo no lugar de que saiu. Isso é impossível num universo sólido.

No jogo de paciência de quinze números, não podia haver mudança de lugar para os números, quando todos estavam no cartão, porém, com um deles fora, cada número poderia mover-se para o lugar do ausente. O universo é como um jogo de paciência de 15 números, tendo cada íon presente. Por esse motivo, nenhum íon (ou se lhe for mais fácil dizer átomo, diga nenhum átomo) poderá mover-se para o lugar do outro. Se somos compostos de átomos, esses átomos são eternamente fixos em suas relações com outro átomo do universo. Portanto, nós, como átomos, somos imóveis. Esta é a única conclusão que a ciência e a metafísica modernas nos impõem.

Então, se os átomos são imutáveis, Deus, que é os átomos do universo, é imutável, fixo e imóvel e um só átomo não necessariamente deverá expressar todo o poder d'Ele. Por isso, Emerson disse: "Deus delegou sua divindade para o átomo".

Se essa é a condição do átomo, você é composto de átomos? Poderia sê-lo? Não é Deus mais que os átomos? Ele é também a inteligência que está dentro do átomo. Portanto, você também deveria ser essa Inteligência. Porém, como Deus manifesta essa Inteligência? Manifesta para quê? Certamente não para si mesmo, como átomo ou como Inteligência. Manifestar-se é tornar-se conhecido. A quem pode Ele ser conhecido? Apenas à consciência individualizada. Não poderá existir Deus, sem haver alguma coisa capaz de reconhecê-lo. Portanto, disse sabiamente um filósofo alemão: "Destrua-me e destruirá a Deus". Isso é como dizer simplesmente: "Sou o efeito e Deus é a causa. Destrua o efeito e destruirá a causa".

Visto que, para manifestar-se e conhecer a si mesma, a Substância Original precisará individualizar-se em consciência, segue-se que você pode reconhecer a manifestação, inteirar-se da causa e seu efeito, e é suficientemente inteligente para raciocinar sobre ela. "Sou, por conseguinte, a Inteligência e Consciência Individualizada do Uno. Porém, serei também substância Individualizada?"

Assim como a Inteligência Original se manifesta pela consciência, pelo movimento, e os átomos são fixos, é lógico concluir que podemos ser manifestação da Inteligência Original em Movimento, e não individualização da Substância Original, que é relativamente fixa e imóvel, mas você é individualização dessa Inteligência e do movimento que se manifesta através da Substância Original.

Por outras palavras, entre as duas manifestações do Universo, uma das quais é fixa em átomos e a outra é movimento universal e Inteligência, você, como indivíduo, como Ego, é manifestação do Uno, somente em movimento e inteligência. Isso é o mesmo que dizer: "Eu sou espírito (ou *Eu sou mente*), e não matéria nem corpo".

Isto é cientificamente deduzido do fato de que, embora um átomo não possa deslocar outro, o movimento pode ir de um átomo para outro.

Por exemplo, um aluno sabe muito bem que, se colocar vinte bolinhas em fila e atirar uma bolinha na primeira, as dezenove primeiras bolinhas ficarão paradas no mesmo lugar e a última se moverá. O movimento dado pela bolinha que joga a primeira bolinha é transmitido de uma bolinha para outra até a última, e esta, não tendo outra para transmitir seu movimento, deverá necessariamente transmiti-lo pela fricção na superfície sobre a qual roda. Outra experiência: Pegue uma corda, amarre uma ponta num poste, afaste-se a alguma distância com a outra ponta na mão e dê a ela um movimento de subir e descer. O movimento passará da sua mão para o poste, porém, a posição relativa da corda não será mudada. O vento levanta uma onda na costa da China e esta onda vai romper-se na praia da América, porém a onda permanece relativamente a mesma e só o movimento passa.

É reconhecido que o som, a luz, o calor, a eletricidade e outros modos de movimento passam de um átomo para outro. A luz não é substância, mas, sim, a Inteligência Original em movimento passando através da substância de um átomo para outro. Isso é verdade para cada manifestação do Uno Original. Por mais sólida que uma coisa pareça, é simplesmente um modo de movimento passando eternamente para a frente. Portanto, o Sol e os planetas que o acompanham e todo o universo estelar são apenas ondas de movimento passando através do espaço, tendo a mesma relação idêntica para com o universo que as ondas do oceano têm para com o mar.

Da mesma forma, *Tudo* é uma onda de alguma forma da Energia Infinita. Mas, o que é o homem? O que você é como indivíduo? Uma onda de Energia Infinita passando para diante através do universo. Não é luz, som ou eletricidade. Você é vibração de maior tom e intensidade. É Vida! E assim como a luz e as forças químicas passam como o sol através do espaço, você também, como Vida transformada em Amor e Verdade, passa através do espaço. Difere de todas as outras manifestações da Energia Infinita pelo fato de que o Uno Original evoluiu na consciência e em você. Conhece a si mesma. Seja, então, um modo de movimento consciente de si mesmo.

Que valor prático tem isso para a metafísica? Ele prova cientificamente as afirmações da Ciência Cristã e do Mentalismo: "Não sou matéria, não sou corpo. Eu sou o modo de movimento denominado Vida."

E assim como, no passado, a humanidade foi limitada e prejudicada pela sua ignorância do vapor e da eletricidade, também na atualidade está emergindo dessa ignorância que se acha incorporada na crença da matéria, a qual se expressa: "Sou o corpo, estou doente".

Quando entrar na realização da Verdade expressa por este artigo, de que a Vida é um modo de Energia Infinita e que cada indivíduo é manifestação dessa Energia, uma vaga sempre progressiva, por assim dizer, do infinito oceano de Inteligência, então você transferirá seus pensamentos das limitações do corpo e da matéria para a Vida, e não mais afirmará a fraqueza e a doença para aquilo que é Infinito.

Você vai pensar que é uno com a Inteligência Original e afirmará isso. Assim como a crença na fraqueza e doença criam todos os males da humanidade, assim a consciência da Vida Infinita resgatará a civilização de todas as condições criadas pela crença na limitação da matéria. Assim você terá a demonstração científica da verdade da profecia, de que a finalidade do homem será ser resgatado e restabelecido no Éden. O começo da realização dessa profecia se encontra no movimento espiritualista, o qual será consolidado na afirmação: *Tudo é Mente! Eu sou Mente!* Visto que o movimento é eterno, sou mente imortal! Visto que sou consciência, sou eternamente Eu. Assim fica demonstrada a Imortalidade.

Homens famosos na velhice

Que planeja você executar aos 80 anos? Muitos homens famosos alcançaram seu triunfo aos 70 ou 80 anos. Se esses homens, cujos nomes chegaram à posteridade, tivessem aceito a teoria de que o homem é incapaz de um novo esforço após a meia-idade, teriam deixado de nos dar uma herança magnífica de leis, artes e letras.

Se Ticiano tivesse deixado de trabalhar aos 60 anos, o mundo não possuiria sua admirável obra-prima "Vênus" e outras das suas famosas pinturas. Pintou até os 98 anos de idade.

Gladstone tinha 83, quando venceu a oposição do Parlamento e se tornou Primeiro Ministro da Inglaterra.

Verdi escreveu "Otelo" aos 74 anos, "Falstaff" aos 80 anos e a "Ave Maria" aos 85 anos.

Entre a idade de 70 e 83 anos, Cornélio Vanderbilt aumentou o imposto de sua estrada de 100 a 10.000 e acrescentou cem milhões de dólares à sua fortuna.

Hokusia, o grande artista japonês, disse: "Tudo que produzi antes dos 70 anos de idade não merece ser contado. Aos 75 anos aprendi um pouco sobre a estrutura da natureza. Portanto, ao chegar aos 80 anos, terei feito mais progresso. Aos 90 anos penetrarei no mistério das coisas." Faleceu aos 96 anos e a direção do seu trabalho era constantemente para maior perfeição até o fim.

Thomas A. Edison, em seu 75º aniversário, em 1922, afirmou que ainda era jovem de espírito. O seu entusiasmo no trabalho nunca diminuíra. Correspondia ao que era bom na vida nessa ocasião, como ao começar a sua grande carreira de serviço à humanidade.

Ao lhe perguntarem sobre os estragos da velhice, o inventor respondeu:

"Se o homem se satisfaz em estudar o elemento natural em que existe, e se empregar esse conhecimento para proteger o seu corpo contra a ação maligna do seu ambiente, julgo que viverá ao menos duas vezes mais do que atualmente, com a mentalidade não afetada no final da vida. À proporção que o homem adquire maior conhecimento do seu ambiente e assim se torna apto para proteger-se cada vez melhor, não vejo razão para que não viva tanto quanto a sequoia da Califórnia, que vive vários milhares de anos".

Com sua fisionomia feia, expressão inflexível, queixo arrebatado, lábios cerrados, mãos firmes, vivo, observador, intelectual, como se fosse a própria encarnação da alma da França, Jorge Benjamin Clemenceau, primeiro ministro da França durante a Primeira Guerra Mundial, cuja vontade era lei, estava com 80 anos, pois nascera a 28 de setembro de 1814, mas aparentava 50 anos. Seus epigramas eram agudos, suas metáforas vívidas e seus gestos apoiavam suas palavras e seus olhos ainda brilhavam com grande energia. Sua memória admirável lhe permitia falar sem ter tomado notas. Foi orador brilhante. Publicou diversos livros sobre investigações filosóficas e dois volumes de anedotas e ensaios. Possuía um excelente senso de humor. Não é verdade que a velhice faz perder o bom humor, pois ele não o perdeu. Pensava como jovem e era jovem, pois acreditava na juventude. Seus olhos vivos, claros, envolventes e ameaçadores, expressavam o poder; sua voz era vibrante e poderosa e seus gestos imponentes.

Clemenceau atribuiu seu extraordinário vigor físico a seus hábitos de vida metódicos e abstêmios, assim como à persistente cultura de variedade de interesses intelectuais.

— Vim lhe procurar para que me diga exatamente onde encontrou a Fonte, para a qual o pobre aventureiro espanhol fez tão inutilmente tantos esforços — disse um correspondente americano a Sarah Bernhardt, quando esteve na América do Norte, em 1913.

— Tudo se resume — respondeu ela vivamente — em que, se amar a vida, ela também o amará. Não me refiro ao amor à vida que seja apenas um desejo de viver muitos anos a todo custo, mas, sim, o amor ao que a vida traz: suas alegrias e suas tristezas; seu trabalho longo e penoso e seus esforços de feliz descanso; suas esplêndidas e grandes experiências e até seus pequenos aborrecimentos. Acima de tudo, a capacidade de sentir, de conhecer que coisa gloriosa nos envolve, faz a vida digna de se viver.

— O segredo do entusiasmo — exclamou alegremente o correspondente.

— Talvez — replicou ela. — Somente para aqueles que são entusiastas vêm o êxtase de viver. Somente para o entusiasta, o horizonte do futuro se mostra sempre luminoso e dourado. Sempre o futuro. Conserve seus olhos voltados para esse lado. Viva do modo mais completo cada momento, porém, não se esqueça que o próximo lhe dará um vinho forte e mais rico.

Sarah Bernhardt, aos 67 anos, desafiou o tempo. Não se poderia dizer se tinha 40, 60 ou 70 anos. Não lhe importavam coisas tão desinteressantes como os anos.

As mechas de seus belos cabelos, o brilho de seus olhos, seu rosto sem traços profundos, cujo queixo oval apresentava contornos perfeitos e seu grande e especial riso, que se expressava com um movimento da cabeça para um lado e um olhar expressivo e malicioso, não deixava de manifestar, em seu brilho, o galanteio. Tudo isso fez dela uma mulher de todas e de nenhuma idade.

O correspondente de Chicago, que vira Sarah Bernhardt em 1913, teve oportunidade de vê-la novamente em outubro de 1917, e notou que se mostrava tão jovem e alegre de espírito como nos anos que ali estivera anteriormente. Ela era um milagre de energia, possuindo o poder de fazer que sua voz, famosa por muitas décadas, se estendesse por todo o amplo auditório. Cantava em tons mais delicados do que outrora, salientando as notas de ternura e emoções íntimas, porém encantava os ouvidos, e a personalidade que representava ainda fascinava a imaginação.

Se homens como Edison e Clemenceau e mulheres como Sarah Bernhardt podem, pelo seu vigor mental e entusiasmo, desafiar os anos e tirar-lhes seus poderes destrutivos, outros também poderão vencer os processos envelhecedores da idade, conservando a saúde e prolongando a vida por muitos anos de atividade útil.

Todos nós nascemos com a herança de toda terra e seu domínio, suas maravilhas, sua ciência, sua sabedoria, sua arte, sua música e sua literatura acumuladas. Uma forma intelectual magnífica está preparada para todos nós e nem um entre milhares pode ter uma ideia do que a vida poderia ser.

Há dez mil anos que os homens julgam que em algum lugar existe uma fonte mágica, cujas águas dariam juventude e outras alegrias. A fonte mágica era procurada em cada terra novamente descoberta e foram contadas e acreditadas estranhas histórias de fontes.

A única fonte, como provam a ciência, o tempo e a experiência, está dentro de você. A fonte de prazer que a juventude tanto deseja, está dentro de você e é facilmente acessível, sempre acessível. Bom trabalho, amizade sincera, bons pensamentos, ideias elevadas, a aplicação do presente na preparação de maior utilidade para o futuro, são as coisas que realmente valem e que fazem da juventude aquilo que devia ser e da velhice o que pode ser.

A sua mente está dominada pela crença racial de que seu corpo físico, na sua carne e substância, terá de envelhecer com o passar dos anos. Seu corpo é constituído de um conjunto de células que continuamente mudam em estrutura. Seus pensamentos estão se expressando sempre em seu corpo. Se você se apegar persistentemente ao pensamento de um corpo que envelhece, chegará o tempo em que as células vivas começarão a ossificar-se e os sintomas da idade aparecerão. A natureza se expressa em todas as formas renovadoras e que se desenvolvem. Ela dá a saúde, a juventude e a beleza.

Você deve se compenetrar de que, a todo momento da sua vida, você está absorvendo a vitalidade de uma fonte inesgotável e renovando o corpo com forças criadoras vindas diretamente do coração da vida. O seu corpo é composto de unidades sempre mutáveis e é adaptável ao que sua mente modela. Você poderá substituir as células fracas e doentes e reconstituir seu corpo com células novas e vitalizadas. Existe um químico interno a cargo do laboratório humano. Ele conhece as suas necessidades e trabalha incessantemente para formar e reconstruir seu corpo com perfeição de todas as funções. Se não o embaraçar com métodos errados de pensar e viver, ele fará seu trabalho perfeito e você se conservará com saúde perfeita e juventude contínua.

Você não envelhecerá nem se enfraquecerá com o avançar dos anos mas, sim, se tornará mais eficiente, mais brilhante no intelecto, mais útil ao mundo, pelo desenvolvimento de suas faculdades e a inspiração que lhe virá de conhecimentos e experiências acumulados.

A sua mente deverá ser flexível e corresponder às influências sempre variáveis que criam novos impulsos e novas condições e tornam possíveis novos progressos.

Desenvolvimento próprio

Embora você possa parecer, no outono da vida, como as flores do jardim e as folhas da floresta, e ter seu nome esquecido, a influência de suas realizações e a inspiração da sua vida aquecerão e vitalizarão a pulsação do coração, até que o surgir de uma nova manhã para o mundo mergulhe na luz solar de um dia radiante.

Você infundirá sua corrente de energia imortal na constituição psíquica do gênero humano, e a glória de sua vida alegrará uma grande multidão de mentes durante o passar das gerações.

Você não só forma o tecido de sua própria existência, mas também, por meio de cada pensamento e ato do momento, está ajudando a formação do caráter de todos aqueles com os quais se relaciona, criando assim ondas de força que prosseguem eternamente.

Você nunca está só; embora esteja afastado de qualquer habitação humana, seu pensamento destruirá a distância e o tempo, penetrará em todas as barreiras e iluminará com um brilhante raio de amor os espaços internos da região etérea, vibrando uma corda correspondente em outros seres humanos que respondem também às ondas irresistíveis de energia que enriquecem o mundo.

Existem mentalidades-mestras atualmente na Terra, que vivem afastadas do tumulto e dos atropelos, separadas do redemoinho da sociedade e da visível presença dos homens, que, pela disciplina de si mesmas e amor de consagração especial à elevação da humanidade, preparam funções especiais que lhes permite influenciar o movimento dos homens, embora invisíveis, e carregar os espaços internos de correntes magnéticas que são como as marés do oceano. De profundezas infinitas surgem as ondas de seus pensamentos inspirados e amor desinteressado que alimentam o desenvolvimento da humanidade.

Existe um laço íntimo de fraternidade entre um grande número dos que se despertaram à luz da nova época; e aqueles que sentiram as ondas calorosas da simpatia humana que unem o gênero humano se conscientizam que nenhum altar visível é preciso para manter vivo o fogo elementar e espalhar a luz divina que é destinada a regenerar a humanidade, porque não é nenhuma luz refletida que se está levantando no mundo; e aqueles que a veem pela primeira vez sentem o impulso vivificador, que prende uma mente a outra e torna possível a transmissão de pensamentos demasiado profundos e puros para ser expressos em palavras.

Esta tendência da sua mente individual a se mesclar com outras mentes pela troca constante do pensamento e sentimento, e pela associação íntima na vida social e comercial, é carregada de certas influências que procuram apagar as suas características pessoais e o fazem mergulhar na massa pela grande quantidade de imagens e impressões gravadas na sua mente adaptável pelos pensamentos dos outros. Se seu objetivo for vacilante, se seus ideais forem vagos, se erra com frequência e apenas conhece vagamente a direção de seu alvo, você será um instrumento nas mãos das pessoas mais positivas e estará sujeito aos movimentos da vontade e do desejo delas. Todos nós nos diferenciamos em nossa natureza essencial, e temos cada qual um talento especial e próprio que deveremos cultivar no mais alto grau possível de perfeição; e todas as outras faculdades deverão ser disciplinadas para sustentar e aumentar o poder e a utilidade da tendência principal. Existe um desejo distinto em seu coração, que poderá ser denominado a chama oculta do gênio. Se você a amar sagradamente e a alimentar com o sopro da esperança e da resolução, ela se desenvolverá numa chama, que iluminará o seu caminho, até as superiores alturas do poder.

Escute a voz do destino que está sendo expressa em tom baixo pelo seu divino monitor íntimo. Desenvolva um juízo independente. Estude a si mesmo, as suas esperanças e aspirações, as suas relações com o ambiente e as suas possibilidades. Olhe profundamente em seu ser e receba da fonte interna as revelações da vida. Tendo seus olhos fixos no alvo mais alto, conserve sua obediência à verdade e resolva que nenhum poder o governará e dirigirá, exceto as ordens recebidas do trono desse reino invisível que lhe pertence por todas as leis. Empregue o conhecimento e a experiência dos outros, se forem úteis ao seu adiantamento pessoal; porém, conserve sua independência de juízo e aplique a luz da razão a tudo o que lhe parecer vago.

Assim como a harmonia da música é constituída pela combinação de diferentes sons, e as belezas da natureza pelas inúmeras variedades de formas, assim também a verdadeira fraternidade do gênero humano poderá ser produzida e sustentada pelo desenvolvimento de distintas individualidades, cada uma representando uma nota que vibrará de acordo com as outras na produção da sinfonia universal. Então você poderá cultivar as faculdades especiais de sua entidade com a sua mente livre de influência das forças perturbadoras.

Eleve-se acima da sombra do pessimismo e desespero, apoie-se na luz da liberdade e do progresso. O dom de uma individualidade liberal, progressiva, independente, determinada e sincera, é a mais nobre herança do homem. Sua cultura e desenvolvimento levam à emancipação da mente e da vontade do domínio dos outros. Existem infinitas capacidades dentro de seu ser, que simplesmente esperam o seu amável reconhecimento para florescer e desabrochar em realidades palpáveis. A profunda aspiração interna é o espírito progressivo de vida que impulsiona a humanidade para a frente; é o pedido silencioso do seu Eu aspirante, à procura do alvo destinado da sua missão.

Conserve sempre diante de você a imagem mental do eu ideal que deseja se tornar, o Eu que é radiante de amor para toda a humanidade; vivificado pela energia que impulsiona a realização de atos dignos, embelezado pelo brilho de uma esperança imortal, realizando as possibilidades ocultas e procurando encontrar seu mais glorioso desenvolvimento. Mantenha-se calmo, na fé vinda da certeza que o poder suficiente para todos os pedidos está armazenado dentro de você; seja destemido em relação às opiniões dos outros.

Inspirado pelo desejo de elevar a humanidade, imperturbável às recriminações, insensível à adulação, você permanecerá firme em sua obediência ao seu mais alto ideal. Invisíveis e intangíveis, porém não menos poderosas e presentes, são as forças que você coloca em ação pelos seus pensamentos e desejos. Com pensamentos egoístas e mundanos, você atrai a influência da obscuridade e da morte. Com pensamentos desinteressados e puras aspirações, você alcançará a presença das legiões invisíveis da luz e da vida. E será impulsionado por esses poderes para baixo ou para cima, de acordo com a natureza dos ideais que o guiarem.

Você não poderá estar satisfeito com uma existência sem significado. O desassossego inato que, às vezes, você sente é o impulso da evolução de sua alma, aspirando à realização de seu destino reto, é o pedido incessante do eu superior que apela no silêncio para a plenitude de vida que desenvolverá as suas incalculáveis forças.

Sendo dotado de possibilidades gloriosas que esperam pacientemente para serem descobertas, como um instrumento espera o toque mágico de dedos habilidosos para expressar as mais divinas melodias, eleve-se ao sentimento de sua dignidade como habitante do universo e herdeiro dos séculos. Desperte para uma percepção mais viva do que existe em seu íntimo.

Sendo parte integrante da energia que governa e dirige o mundo, e todos os sóis e planetas que giram no espaço infinito, sempre impulsionado pelo espírito imortal do progresso, impulsione-se para a frente em direção ao alvo final da perfeição infinita.

O dirigente da sua vida objetiva

A Autossugestão é o dirigente de sua vida objetiva. Entre todos os fatos demonstrados pelo estudo da Sugestão, em sua ação sobre o futuro da humanidade, nenhum outro tem valor igual ao da Autossugestão (ou, como prefiro, da Afirmação), pois, por meio dela, você poderá fazer da sua vida objetiva, pela aplicação da sua vontade, tudo o que desejar ser.

Existe uma linha de evolução que não foi penetrada pelos cientistas físicos. Encontraram a evolução da forma e da inteligência. Estabeleceram o desenvolvimento do homogêneo; do Absoluto para o Individual, do simples para o complexo, porém ainda não compreenderam a significação real da lei que encontraram.

A linha real da evolução é do domínio do Absoluto para o Domínio próprio Individual. É da lei para a liberdade. Somente o estudo da mente poderá revelar-lhe o segredo do poder. Ao encontrá-lo, você terá feito a maior descoberta.

Os teólogos sempre discutiram sobre a Imanência ou Residência Íntima de Deus, o Deus Transcendente ou "Ausente" de Carlyle; sobre o Deus Absoluto e o Deus Pessoal; sobre o Livre-Arbítrio e a Predestinação. Quando, porém, você compreender o objeto real da encarnação humana, verá que cada um destes dois lados da verdade é real. A dificuldade está em que nenhum deles corresponde aos dois lados do fato único: a Vida.

Deus é Transcendente. É tudo o que existe fora do homem e tudo o que transcende o pensamento humano. É tudo o que não é o homem. Enquanto você ignorar seu lugar e poder, o Deus Transcendente o governará por meio das circunstâncias ou, como a ciência o denomina, pelo ambiente. O Deus Transcendente reside no sol, na areia, no vento e na vaga do mar, governa a vida e a morte. Ele é o Absoluto, o Indiferenciado, o Impessoal, o UNO, que "habita a eternidade" — Deus, a Energia Eterna. Ele tem métodos e ordem na recorrência dos fenômenos, que denominamos leis.

Todos nós nascemos na vida objetiva como escravos dessas Leis do Absoluto. Enquanto não tivermos aprendido sua lição de independência, estaremos sob o domínio do próprio Absoluto.

O erro dos que advogam a doutrina do Deus exterior é deixarem de compreender o fato de que a linha da evolução é do Absoluto para o Individual e que, quando se apresenta o Individual, ele se torna Lei. Então, governa o Absoluto em si mesmo. O que o Absoluto é para o universo, o Individual é para seu próprio universo, que é seu corpo e para tudo o que o rodeia.

Portanto, também existe o Deus Pessoal. Esse Deus Pessoal é o Individual quando entra na realização de que é a manifestação do Deus Uno. Essa manifestação tem o poder de conhecer a Si mesmo e poderá estabelecer as suas próprias leis, pois o Poder do Uno habita nele como parte invisível do Uno.

Como Indivíduo, você é livre das limitações denominadas leis, que são as ordens estabelecidas do Absoluto. Estabeleça seus próprios métodos; torne-se sua própria lei. Nas leis do Absoluto existe a Predestinação. Em você, como Indivíduo, existe o Livre-Arbítrio.

A linha da sua evolução é do Destino ao Livre-Arbítrio. A sua liberdade será possível somente quando você adquirir consciência de seu poder. Como Deus Pessoal que é — Indivíduo perfeito — se dará o que Paulo denomina "a Liberdade dos filhos de Deus". Governará a si mesmo. Quando tiver consciência de seus poderes, você escolherá e o que escolher será Lei.

Estará, então, livre do domínio do Absoluto, porque o Absoluto em você adquiriu a consciência própria, isto é, como Alma individualizada, você será consciente de si mesmo.

O Absoluto não delegou poder algum, pois é Poder infinito, Poder eterno. Esse Poder evolui em sua Alma a Autoconsciência.

Cada Alma é Deus encarnado na carne. Possui potencialmente todo poder. Ao chegar a esse estado, você descobrirá que sempre o Poder e o Domínio lhe pertenceram. Em virtude de sua Individualidade, você é senhor da sua vida objetiva, se se determinar a exercer esse domínio.

Que você pode, individual e coletivamente, governar assim o seu destino é a mais recente descoberta. Ela transcende todas as outras descobertas feitas. Denota a realidade do milênio prometido. De fato, ao usar seu poder, você não mais terá pobreza, sofrimento, doenças ou morte.

Isso não é o sonho de um visionário, nem a especulação de um entusiasta. É o resultado cuidadoso da investigação científica dos fenômenos da Sugestão. Assim como Franklin, Arkwright, Edison e Marconi predisseram as possibilidades de suas descobertas, assim também aqueles que investigaram e demonstraram nessas linhas preveem o futuro de sua maravilhosa descoberta. É mais fácil provar nossa posição do que demonstrar a unidade de força no raio com a corrente no fio de uma roda. Faça experiências por meio da Afirmação em sua própria pessoa e as observe cuidadosamente.

Aqueles que a provaram são milhões; porém, poucos de cada milhão compreendem perfeitamente o significado de suas provas. Que sua primeira experiência seja o mais simples triunfo alcançado pela mente sobre o corpo. Afirme a si mesmo que você já se esqueceu da dor. Quando tiver conseguido isso, provou tudo o que pretendo nesse artigo. Faça com que essa vitória seja seguida de outras, e se curará de qualquer doença e dará juventude permanente ao seu corpo.

Essa é a significação das experiências de que as multidões se riram e o próprio professor conhecia apenas como a exibição de algum poder. Designaram a realização das palavras do Salmista: "Você o fez para ter domínio sobre as obras de suas mãos". Jesus repetiu o mesmo ao dizer: "Todas as coisas me são dadas por meu Pai". Paulo expressou o mesmo, mais positivamente, ao dizer: "O último inimigo a ser destruído é a morte".

Essas palavras dos antigos videntes são vazias em valor teológico, mas possuem um profundo sentido científico. Até agora o centro do poder foi colocado no Deus Transcendente, em vez de o localizarem como Jesus o fizera: dentro do indivíduo. Onde está Deus, está todo o domínio. Nenhum poder exterior poderá influenciá-lo sem sua aceitação e vontade. Tudo o que seu ambiente poderá fazer é chamar à expressão o poder que você é.

Quando, no hipnotismo, o sugestionador diz ao paciente: "Suas mãos estão fechadas e você não poderá abri-las", elas permanecem fechadas, não por causa de qualquer poder que ele possua, mas porque o paciente pensa que elas estão fechadas, já que sua vontade o conserva nesse pensamento pelo tempo que desejar. Aquele que sugestiona não tem poder sobre corpo algum senão o dele próprio. Só pode empregar sua vontade sobre si mesmo. O paciente aceita a Sugestão do hipnotizador, converte-a em uma Afirmação (uma Autossugestão), e então, como todas as afirmações (que são convicções positivas), ela passa a governar seu corpo. É assim que "como um homem pensa em seu coração, assim ele é". A maneira como conserva a Verdade, assim você é; essa é a minha apresentação do pensamento de Salomão.

É pensamento de importância na discussão deste assunto: Toda Vida é uma, é a manifestação da Energia Eterna. Como essa Energia se manifesta no raio ou no dínamo? Responderá o homem: "ela será dirigida ao meu desejo e a prenderei ao meu carro". Na evolução de sua inteligência, você alcançou um lugar em que a mesma pergunta será feita sobre a Energia Eterna que denominamos Vida: "Como se manifestará a Vida, na saúde ou na doença?", e você responderá: "Escolho a saúde e quero que ela se manifeste assim no meu corpo", e isso se concretizará.

A sua mente objetiva dirigirá a expressão de sua Alma conforme você escolher e quiser. No irracional a vida obedece a vontade do Absoluto. Em você, a vontade de Deus é a vontade daquele que diz: "Eu Sou". Você chegou, como homem, a ver que aquilo que o diferencia dos irracionais é seu poder de escolher e dirigir sua própria vida. Em grau maior ou menor, você é consciente de fazê-lo. Mas sempre coloca limitação em seu poder.

Intuitivamente sente que é poder, e a sua crença no possível foi o caminho do seu desenvolvimento. Impondo limitações a si mesmo, aceitou essas limitações como se fossem impostas pelo Absoluto, e por você mesmo ter afirmado, as limitações se manifestaram e você não procurou escapar delas. Para Deus não há limites. Para os filhos de Deus não poderá haver limites. Para Deus em você não há mais limites do que para Deus fora de você. Deus — o Absoluto — pode manifestar-se infinita e Eternamente; Deus em você pode manifestar-se assim também. Ele assim se manifestará quando suas crenças raciais, nascidas de sugestões passadas, forem removidas. O Deus encarnado em cada um de nós é o único Deus Pessoal, e você poderá governar de acordo com o seu desejo as manifestações do Deus Absoluto em si, sugerido ao seu Eu Real — Deus em você — a direção que você, que é o homem objetivo, desejar seguir. Isso é feito pela Afirmação. A sua maior descoberta do Poder é que você pode pensar assim. Foi por meio da telepatia e do fenômeno da Sugestão que essa descoberta foi feita.

Certa vez, ao chegar à casa de um amigo, ele me disse: "O Dr. Dantas esteve aqui e conversamos sobre diversos assuntos", porém, prosseguindo na conversa, notou que eu não havia compreendido. Tornou-se evidente que eu e ele estávamos falando de pessoas diferentes. Soube, em seguida, que estivera pensando no Dr. Walter. Pensava em "Dr. Walter", porém falava em Dr. Dantas, com quem trabalhava. A sua consciência objetiva forçara seu pensamento subjetivo a vestir-se com o símbolo da pessoa com a qual estava acostumado a estar em contato no escritório.

Uma senhora ofereceu-se para fazer uma experiência sugestiva com um homem, conhecido meu. Ele lhe disse: "Farei com que esqueça o seu nome. Agora não poderá dizê-lo". Ela fez todos os esforços possíveis e, afinal, disse o nome dele. Surpreso, perguntei-lhe o nome dela, porém, deu novamente o nome dele. Desfeita a Sugestão, ela declarou que falava seu próprio nome, pois, "o estava falando para si mesma durante todo o tempo". Porém, a sugestão que ela aceitara como fato no objetivo, mudara a matéria parda cerebral, de modo que, quando as palavras saíram, não eram as do pensamento subjetivo, mas, sim, as da vontade objetiva.

É assim que o Absoluto obedece ao objetivo por meio da Autossugestão. A Sugestão, convertida em afirmação, governa a expressão individual do Absoluto. Você está aprendendo isso e está se tornando senhor consciente de seu destino Não levará muito tempo para que a doença, o sofrimento, a tristeza, a pobreza e a morte não existam mais. Como? Pela simples aplicação dos princípios que a ciência está descobrindo e estou lhe ensinando.

A aplicação das suas energias

As condições necessárias para poder aplicar suas energias são as seguintes: economizá-las, acumulá-las, transformá-las, aumentar-lhes o poder e concentrá-las no objetivo em vista.

Assim, também, para produzir seu progresso e avanço, é preciso não só que você empregue a energia, mas que a aplique em medida cada vez maior.

A aplicação conveniente da energia é o trabalho, portanto, em última análise; a aplicação correta de suas energias é sua preparação para trabalhar melhor.

Para quase todos nós a palavra "trabalho" significa gasto, cansaço, deterioração, porém, na realidade, deveria significar prazer, força e desenvolvimento.

O mundo industrial está, frequentemente, mal organizado; por isso, o desperdício é enorme, o esgotamento quase universal e o trabalho se desgasta como se fosse máquina inanimada.

Quase todos estão habituados a pensar que trabalharam excessivamente e, sob esse ponto de vista errado, têm razão para tirar essas conclusões, porém o seu verdadeiro mal não está no excesso de trabalho, mas, sim, na falta de organização conveniente.

Enquanto você trabalhar metodicamente, será praticamente impossível trabalhar demais, já que não é o trabalho que enruga a sua fronte, embranquece seus cabelos, envelhece seu corpo e enfraquece sua mente; é a tensão e o impulso nervoso com que você o executa que produzem essas coisas; enfim, é a ação sem método.

Um dos maiores erros dessa época é a tentativa de executar as coisas pela força impulsionada pelo ímpeto nervoso, desobedecendo todas as leis da ação construtiva. O resultado é que nove décimos do trabalho feito é inferior, a maior parte da energia empregada no trabalho é desperdiçada e a vida do trabalhador quase nada vale.

Ao aprender a trabalhar com método, você viverá mais, realizará mais, fará um trabalho melhor, se aperfeiçoará constantemente e usufruirá cada momento da sua vida.

Ao trabalhar calmamente, o trabalho lhe dará forças, você nunca se cansará, e poderá provar essa verdade. A calma evita todo desperdício de energia, e trabalhar metodicamente é acumular energia, porque a energia aplicada construtivamente aumenta sua própria capacidade e poder.

Quando você se acha perturbado, você não aprecia o trabalho e o faz porque pensa que terá de fazê-lo, ao passo que, quando estiver em calma, gostará do trabalho, trabalhará porque quer, e o trabalho será para você um prazer.

O trabalho lhe será cansativo somente quando você estiver perturbado, já que, quando você estiver em perfeita calma, ficará tão repleto de energia que cada ato fará seu organismo vibrar de prazer.

Comumente você considera o trabalho como alguma coisa que esgota sua energia, você começa o serviço na completa expectativa de que ficará esgotado e cansado; e o que você espera, virá mais tarde, senão logo.

O desejo desumano de obter alguma coisa por nada, que prevalece em toda a parte, é produzido diretamente pela falta de afeição quase universal ao trabalho, e você tem aversão ao trabalho porque geralmente trabalha num estado mental errado.

Quando aprender o modo de trabalhar, o trabalho será um dos seus maiores prazeres e você preferirá muito mais trabalhar pelo que precisa do que obtê-lo gratuitamente.

O objeto do trabalho é duplo: primeiramente, produzir alguma coisa de valor e, em segundo lugar, desenvolver maior valor no produto. A segunda parte do objetivo do trabalho foi quase completamente negligenciada e os resultados provenientes dessa negligência foram prejudiciais tanto para o artista como para a sua arte.

Contudo, nada há que lhe seja mais proveitoso do que desenvolver e aumentar continuamente seu valor, porque o valor de sua produção aumentará com o desenvolvimento de seu valor e as produções de qualidade superior alcançarão altos preços.

Mas é comum em você o hábito de queixar-se de que não tem tempo para se desenvolver, por ser a maior parte de seu tempo exigido pelo trabalho; quando não trabalha, você se encontra muito cansado para estudar. Ora, essas afirmações suas são sinais de que não descobriu seu estado de calma.

O fato real é que, ao trabalhar calmamente, todas as faculdades que empregar no trabalho se desenvolverão com ele, e enquanto você trabalhar metodicamente, nunca ficará cansado e, portanto, poderá se aplicar tranquila e alegremente ao estudo algumas horas diárias.

Trabalhar metodicamente não é trabalhar lentamente, mas fazer com que todas as energias de nosso ser ajam conjuntamente, em harmonia tão perfeita que tanto a nossa capacidade como a nossa rapidez possam ser aumentadas em grau notável.

As forças mais poderosas da natureza, particularmente a eletricidade, se movem em absoluto silêncio, porém com enorme capacidade e rapidez. O mesmo poderiam fazer as suas diversas forças, se sua mente estivesse sempre em perfeita calma.

Quando você trabalhar metodicamente, poderá fornecer tanto a qualidade como a quantidade, e, portanto, se agora você estiver empenhado num trabalho que não lhe seja agradável nem proveitoso, não permanecerá muito tempo nessa posição, desde que comece a trabalhar com método, porque assim se aperfeiçoará constantemente e logo você se tornará necessário em um lugar melhor.

É muito natural que seu aperfeiçoamento mental siga o uso construtivo da energia, e trabalhar metodicamente é empregar toda energia construtivamente. O exercício produz sempre o desenvolvimento, e trabalhar de modo conveniente é empregar um bom sistema de exercícios.

Ao começar seu trabalho, geralmente você espera que vai esgotar seu organismo e se enfraquecer, ao passo que, ao fazer exercícios de ginástica, espera obter desenvolvimento e novo vigor, e sempre obtém o que espera.

A ciência da cultura física demonstrou conclusivamente o fato de que todo exercício feito quando o organismo está perturbado é prejudicial. Na falta de calma, não poderá haver desenvolvimento, porém quando ela está presente, toda atividade mental ou física produzirá desenvolvimento.

Embora lhe pareça uma afirmação espantosa dizer que todo trabalho poderá tornar-se um processo de desenvolvimento como é um processo de produção, realmente ela exprime muito mais do que normalmente você poderia compreender.

Entretanto, isso é verdade e quando este duplo objetivo do trabalho for reconhecido e aplicado por toda parte, o mundo industrial será revolucionado.

Começará, então, a era das grandes coisas e dos grandes homens, a grandeza daquelas aumentando permanentemente a grandeza desses.

Você, porém, não terá de esperar que o mundo industrial em seu conjunto adote o novo sistema. Poderá começar desde já a fazer do seu trabalho um processo tanto de desenvolvimento como de produção, assim aperfeiçoando constantemente tanto a você mesmo como ao seu ambiente.

Afirmei-lhe que o sentimento profundo é um dos caminhos para o grande e interno poder da calma, porém, é preciso acrescentar a ele a bondade de sentimento.

Para estar na verdadeira calma é preciso se sentir perfeitamente bom em toda a sua entidade, e gozar elementos de felicidade que sejam infinitamente superiores a tudo o que os prazeres momentâneos da superfície possam lhe dar.

Esse fato dará a você outra razão pela qual a calma é tão útil para o processo de desenvolvimento, e facilmente compreenderá essa razão ao se conscientizar de que nenhuma ação mental ou física poderá produzir crescimento e desenvolvimento se não for executada com alegria.

O progresso real da sua vida é o resultado daquilo de que você gosta de fazer, daquilo que quer fazer e daquilo que lhe dá prazer ao executar. O brilho interno é tão necessário ao desenvolvimento dos talentos de sua mente quanto a luz do sol é necessária para o crescimento das flores do campo.

Para trabalhar com calma e produzir desenvolvimento por meio de seu trabalho, você deverá adquirir uma nova atitude mental para com o trabalho.

Deve considerar seu trabalho como meio pelo qual passará a um ambiente melhor e um desenvolvimento pessoal superior. Não trabalhará com a ideia de obter um ganho, porque este não é seu objetivo real.

A recompensa virá como resultado natural de um trabalho bem feito, e quanto melhor for o trabalho, maior será a recompensa. Porém, para melhorar seu trabalho, você deverá fazê-lo com o objetivo do aperfeiçoamento em vista. Você deve realmente concentrar toda a sua atenção no aperfeiçoamento de si mesmo e no aperfeiçoamento do seu trabalho.

Contudo, se você trabalhar simplesmente para ganhar um salário, não concentrará seu poder no aperfeiçoamento e, por isso mesmo, não haverá aperfeiçoamento em você, no seu trabalho, nem no seu salário.

Quando trabalhar para a realização cada vez maior do poder que pode produzir a grandeza em você, maior salário inevitavelmente se seguirá. Se se fizer maior, receberá sempre mais. Esta é a lei da vida industrial, e é uma lei que não pode falhar.

O caminho conveniente a seguir é entregar-se ao seu trabalho com a ideia de que você deverá empregar o dia todo na direção da energia para canais construtivos, e que terá de passar uma série de exercícios que desenvolverão sua personalidade.

Compenetre-se do fato de que, sempre que mover um músculo com alegria, esse músculo se desenvolverá, e de que, sempre que pensar com calma, sua mente se tornará mais profunda, maior e mais forte.

Você trabalha porque deseja exercitar seus músculos e seu cérebro de tal forma que cresça e se desenvolva diariamente na sua força, competência e grandeza.

Entrar no trabalho com a ideia de que está trabalhando para viver, é um erro que deveria positivamente evitar, sejam quais forem as suas circunstâncias.

Trabalhar simplesmente para ganhar apenas a sobrevivência, sem nenhum pensamento de aperfeiçoamento, será continuar a trabalhar onde a vida será magra e dura de conseguir.

Porém, quando considerar todo trabalho como um processo construtivo de você mesmo e empregar esse trabalho para a construção da sua mente e do seu corpo, você alcançará um bom salário no presente, e cada vez melhor anualmente. Além disso, preparará uma vida melhor para você mesmo.

A afirmação de que são apenas aqueles que amam o trabalho que trabalham bem foi um dos princípios de toda arte verdadeira, porém, a maioria responde que é praticamente impossível amar o trabalho nas atuais condições industriais e, sob certo ponto de vista, esta ideia parece certa, porém ela não é certa no ponto de vista do duplo objetivo do trabalho.

Ao saber que o trabalho pode tornar-se o meio de maiores coisas, assim como de maior vida, facilmente você vai amar o trabalho. É natural amar aquilo que é o verdadeiro meio para o fim em vista, e o trabalho se tornará um desses meios, se você trabalhar na atitude mental de calma.

Ao trabalhar, pense no seu desenvolvimento. Ao mover um músculo ou formar um pensamento, sinta o processo que expande o desenvolvimento através de todo o seu organismo.

Trabalhe com o espírito de alegria e concentre-se de que cada ato seu é um degrau da escada de seu maior progresso.

Não trabalhe com a crença de que terá de diminuir sua vida e energia, mas sim que elas aumentarão, pois só assim seus produtos poderão aumentar.

Trabalhe com o objetivo do grande fato de que quanto mais você produzir no mundo, mais poder, vida, capacidade e agilidade formará em si mesmo, e que, quanto maiores forem as coisas que você construir, maiores elas o farão.

O mesmo processo construtivo que você aplicar às coisas deverá se dar em você, se fizer do trabalho um processo de desenvolvimento, ao mesmo tempo que de produção, e trabalhar sempre com perfeita calma.

O verdadeiro objetivo da vida

A causa dos sofrimentos de quase todos nós se encontra na compreensão errada da vida. Você julga que o objetivo da vida é "passar um tempo alegre" e, portanto, ajusta sua conduta dessa forma. Em lugar de aprender as lições da vida voluntariamente, e relativamente sem sofrimento, precisa aprendê-las por meio de experiências penosas.

A sua vida atual é apenas uma das inúmeras experiências de uma vida ilimitada. Porém, embora seja tão breve, é de máxima importância para você na sua evolução espiritual. Você não poderá escapar de um dever ou experiência sem produzir, pela ação de leis imutáveis, experiências penosas que o obrigarão a passar pela experiência de que procurou escapar. Há pessoas que se cansam da vida árdua e saem dela. Dirão, talvez: "Que os outros carreguem o fardo da vida, irei para um lugar retirado e aí gozarei o conforto, a tranquilidade e a felicidade". Assim fazem, mas, não levará muito tempo para que as circunstâncias as arrastem novamente para a luta. Tentam diversas vezes afastar-se, mas são novamente levadas para a vida ativa, sofrendo assim desnecessariamente, pela sua falta de compreensão dos objetivos da vida.

Normalmente você procura sempre evitar as coisas que lhe parecem desagradáveis e que possuem muito sabor de dever e disciplina. É como os alunos de uma escola, que, em lugar de estudar a lição, se põem a brincar, e em consequência disso, são castigados durante as horas de recreio e obrigados a completar suas tarefas, enquanto outros estão aproveitando o tempo merecido de lazer. A lição deverá ser aprendida e será mais fácil aprendê-la voluntariamente.

O mesmo se dará com você nas lições da vida; terá de aprendê-las. Poderá aprendê-las voluntariamente, sem sofrimento, ou involuntariamente, com sofrimento. Determinando-se a subir a escada que o levará para Deus, entrará num caminho que está longe de ser fácil, mas estará livre de sofrimentos desnecessários. Se você estiver bem avançado no Caminho, não sofrerá doenças, nem terá perturbações sobre dinheiro e a falta dele, e a sua vida será cheia de harmonia e paz. Você terá suas dificuldades, pois o caminho é íngreme e nada de valor poderá alcançar sem dedicação, porém, lembre-se que esse caminho é da alegria e do triunfo.

Quase sempre você sonha com uma vida de comodidade e conforto. Talvez diga: "Se tivesse isto ou aquilo, essas ou aquelas condições, eu seria feliz", porém está se iludindo. Se você tivesse a coisa com a qual sonha, não seria mais feliz, pois a posse material não dá felicidade, apenas aumenta o cuidado.

Você só poderá alcançar a felicidade no Caminho da Realização, elevando-se, vencendo as dificuldades, triunfando. Disse Felipe Brooks: "Não ore para obter vida fácil, mas, sim, para ser mais forte. Não peça tarefas iguais às suas forças, mas, sim, forças iguais às suas tarefas". Esse homem de valor compreendia a vida; suas palavras o ensina a fazer dela um sucesso.

Na vida exterior, escolha o caminho íngreme e estreito que o levará ao mais alto triunfo. Assim fazendo, você seguirá o Caminho da Vitória. No devido tempo você se tornará não um super-homem, mas, sim, um homem-deus, vivendo uma vida acima dos cuidados e vexames da vida comum. Terá uma vida de saúde, alegria, paz e verdadeira realização.

Terá a sua vida no meio de seus irmãos, não estará afastado deles, em certo sentido, porque os amará, servirá e ajudará. Entretanto, em outro sentido, viverá tão acima dos sentidos como a montanha se eleva acima da planície. Você construirá seu caráter, se tornará forte, senhor de si, e conhecendo a alegria de governar a si mesmo.

Como disse Felipe Brooks: "Peça forças iguais às suas tarefas". Aí está o segredo da realização e do triunfo. Dentro de você está o Poder Divino, pois Deus não só é TUDO, mas também está em tudo e em cada pessoa. Não há dificuldade tão grande que você não possa vencer por meio do Poder que está dentro de você. Não há alturas que você não possa atingir, no momento determinado por Deus, recebendo a energia e o sustento do Poder Infinito.

Você pode despertar e expressar esse poder seguindo o mais alto ideal que foi divinamente colocado em seu coração e afirmando que você possui o poder para realizá-lo.

A criação de um novo destino

Para dominar seu destino é necessário que você se aproxime dos elementos do destino com a atitude mental conveniente, pois, sendo fato que no mundo exterior tudo corresponde às forças ativas de seu mundo mental, essas forças deverão agir de tal forma que só provoquem a resposta desejada.

A ideia de domínio despertará em sua mente uma tendência a governar as coisas objetivas com a sua vontade, porém você deve se lembrar de que o destino não é governável, mas pode ser criado de novo.

Quando você puder criar o destino que quiser, terá dominado seu destino, porém, enquanto não puder fazê-lo, não terá domínio sobre ele.

O governo de seu destino não exige atos controladores de sua vontade, mas, sim, atividades construtivas das energias criadoras, e visto que a aplicação dominadora da vontade dissipará as energias criadoras, nunca se deve permitir essa atitude mental.

Você deverá eliminar completamente todo desejo de governar ou influenciar as pessoas ou as coisas, porque esse modo de agir apenas derrotará seu objetivo.

Você não dominará seu destino fazendo as coisas virem para você ou persuadindo as pessoas a promoverem seus objetivos em vista.

Quando você provar a sua capacidade para empregar as coisas, elas lhe virão, e as pessoas cooperarão com você de toda forma possível; você estará provando tanto a sua superioridade como a de seu trabalho.

A mentalidade mais fraca é a mentalidade dominadora e, como essa mentalidade possui pouca energia criadora, se você for dominador, não poderá legitimamente realizar um só desejo. Aquilo que for governado por meio da força, por fim reagirá, produzindo sua própria queda.

São os mansos que herdarão a Terra, porque essas mentes possuem maior poder criador. Aquilo que você criar, você herdará: nada mais, nada menos. Portanto, quando adquirir o poder de criar muito, você herdará muito.

Enfrentar tudo na atitude de harmonia é coisa da mais alta importância, porque tudo aquilo com que você entrar em harmonia, quando estiver no estado de aspiração, encontrará no lado superior.

Absorverá as qualidades com as quais tiver entrado em contato; portanto, é de grande vantagem procurar mentalmente apenas o superior.

Quando você aspira constantemente e vive em harmonia com tudo, entra na verdadeira relação com as melhores qualidades que são latentes em toda pessoa ou condição com que você entra em contato. Consequentemente, você permite que as coisas superiores da vida impressionem sua mente a todo momento. E o valor de ter apenas impressões superiores na sua mente é tão grande que não poderá ser calculado.

As impressões superiores produzirão pensamentos superiores e, em virtude de você ser como pensa, os pensamentos superiores desenvolverão a superioridade em você. E, sendo um homem superior, criará um destino superior e um futuro melhor.

Entrando em harmonia com todas as coisas e permanecendo constantemente na atitude de aspiração, você absorverá as boas qualidades de seus inimigos e adversários. Ora, sendo o mal apenas o bem pervertido, quando você receber o bem de tudo, nada mais ficará para ser pervertido; por consequência, não poderá existir mais inimizade ou adversidade nesse lugar.

Você absorverá o bom poder que está além da adversidade e a adversidade deixará de existir. Dessa forma você poderá dizer realmente: "Enfrentamos os inimigos e eles são nossos", porque a própria vida daquele que estava contra você foi apropriada e aplicada ao trabalho para seu interesse e promoção.

Se aplicar esse princípio em todos os detalhes da sua vida, você revolucionará completamente a sua existência física e mental, e reduzirá praticamente a nada a perturbação, a discórdia, a adversidade e a inimizade.

As mais desagradáveis circunstâncias mudarão e se tornarão modelos de perfeição, simplesmente por sua atitude em despertar o lado superior. E ao entrar em harmonia com qualquer circunstância, enquanto estiver no estado de aspiração mental, despertará as qualidades superiores dessas circunstâncias e das grandes possibilidades ocultas em toda parte.

Quando você encontrar circunstâncias de qualquer espécie, nunca deverá resistir aos elementos indesejáveis, se os houver, nem se queixar da deficiência; mas deverá procurar imediatamente as possibilidades.

As questões que terá a resolver são duas: aquilo que essas circunstâncias poderão lhe dar e como poderá obter tudo o que de valor elas possam lhe oferecer.

Toda circunstância que encontrar conterá alguma coisa para você, por isso ela foi feita para enriquecer sua vida, servir-lhe e promover seu bem-estar sob todas as formas possíveis.

Enfrentando uma circunstância na harmonia da aspiração, você despertará as suas possibilidades reais, principalmente se procurar diretamente essas possibilidades. Se mantiver um interesse ativo e dócil nos poderes construtivos de uma circunstância, esses poderes se colocarão em suas mãos e todo elemento desagradável desaparecerá.

Tomando o melhor de toda circunstância e transformando todas as forças que encontrar, de uma maneira que se tornem forças suas, você enriquecerá tanto a sua vida atual que ela o elevará rapidamente a uma posição superior, em que você encontrará circunstâncias superiores e possibilidades ainda maiores.

Você poderá mudar qualquer circunstância, se a enfrentar constantemente dessa forma, ou então a sua mudança será tão grande que circunstâncias muito melhores estarão prontas para recebê-lo.

Diretamente relacionada com a atitude de harmonia está a atitude de amor, e o modo pelo qual amar, assim como aquilo a que você amar, é da máxima importância no domínio do seu destino.

A lei é que você se desenvolva persistentemente à semelhança daquilo que ama, e a razão está em que aquilo que você ama é tão profundamente impresso em sua mente que nunca deixa de reproduzir-se em seu pensamento.

Tudo o que entrar em sua mente no estado de sentimento profundo será profundamente impresso no seu subconsciente, e são as impressões mais profundas que servirão de modelos para as energias criadoras.

Ame apenas aquilo que tiver alto valor e nunca permita que o comum, o ordinário ou inferior, entre no mundo de seus sentimentos.

O amor é o verdadeiro lado da vida. Ame as almas das pessoas e ame as maiores possibilidades que estão implícitas nas circunstâncias, condições e coisas. Ame essas coisas com uma paixão que faça vibrar cada átomo de seu ser. O resultado disso será simplesmente admirável.

O lugar em que você concentra seu pensamento é onde se acha seu coração, e é para esse lugar que você dá sua vida, seu pensamento, sua capacidade e seu poder. Portanto, se quiser formar o superior, deverá amar profundamente o elevado, o digno e o verdadeiro, onde quer que se encontrem.

Ao enfrentar as dificuldades, você deverá enfrentá-las na atitude de alegria. Deverá considerar a experiência como um privilégio por meio do qual maior poder será posto em evidência.

Considerar tudo um motivo de alegria não é um simples sentimento, mas a aplicação de um grande princípio científico.

A mente que enfrenta tudo com alegria, vence sempre, porque a atitude de alegria é ascendente, transcendendo aquilo com que entra em contato e se elevando acima dele.

Portanto, em tudo o que encarar na atitude de alegria, você se elevará acima, e em tudo o que se elevar, vencerá sempre.

O sentimento de alegria é também expansivo, dilatador e construtivo, e possui um poder que desenvolve extremo valor.

Ter tudo por esse motivo, a princípio, vai lhe parecer difícil, porém, ao se convencer de que a atitude da verdadeira alegria se eleva sobre todas as coisas, e vence tudo, elevando a vida a um nível superior, você logo notará que é mais fácil e mais natural encarar tudo com alegria do que o contrário.

O asseio da
sua habitação mental

As pessoas geralmente sabem como deixar a casa limpa, porém não são muitas as que sabem limpar a sua residência mental.

A mente é uma casa de numerosos cômodos, repletos de móveis e utensílios, crianças, memórias, imagens, etc. Alguns deles são úteis e aproveitáveis, porém outros são velhos, empoeirados e inúteis, e se fossem retirados e substituídos por coisas mais belas, tornariam a casa mental mais atrativa e agradável.

Grande parte de seu equipamento mental é antiquado, transmitido de pai para filho, e não faz mais do que ocupar cômodos úteis que poderiam ser empregados para coisas mais modernas e de natureza que agradariam a vista e a alma, e seriam para você uma bênção e uma felicidade, em vez de uma limitação que o comprime nos modelos empoeirados do passado.

O asseio de sua habitação mental não será tão fácil quanto o de sua residência exterior, porém, é infinitamente mais proveitoso e, feito uma vez, não será preciso repeti-lo, a não ser que você seja descuidado e novamente deixe os trastes se acumularem em suas repartições mentais.

Você poderá dispor de todos os objetos velhos e imprestáveis de sua habitação mental e substituí-los por objetos novos e belos que embelezarão seu lar mental e agradarão os outros, dando-lhes satisfação e alegria.

Nos planos superiores, as almas se reúnem por algum tempo para orar. Logo o templo fica iluminado e essa iluminação aumenta e irradia seu esplendor, abençoando os que rezam. Essa luz é a luz de alguma grande alma que desce dos céus mais elevados para abençoar os que estão em planos inferiores, e assim enviam um batismo de amor e poder para aqueles que trabalham para o bem da humanidade.

Esta é uma boa ilustração do que se pode fazer com a sua habitação mental. Você poderá saturá-la de pensamentos de amor e boa vontade, e dar-lhe caráter místico, de maneira que a sua irradiação abençoará a todos sem exceção.

Para fazer a limpeza de sua habitação mental, você poderá empregar alguma negação, porém será melhor se fizer somente a afirmação daquilo que deva substituir as crenças, opiniões e pensamentos prejudiciais.

Afirme as suas qualidades divinas e perfeitas. Afirme que são suas, pois estão em estado potencial em sua alma, e visualize-as como se estivessem se manifestando.

A princípio, você pode não ter muito progresso, mas, com o tempo, os resultados aparecerão. A negação é como abrir o solo para fazer a plantação, e a afirmação é como a sementeira, que não faz a semente nascer imediatamente, mas, no devido tempo, a planta aflora na terra, cresce e produz deliciosos frutos.

A afirmação é acumulativa em seus efeitos, sendo necessária em todo trabalho espiritual. Muitas vezes despertará poderes espirituais que estarão firmes e fortes durante a vida toda.

Visualize o que você afirma. Veja o poder divino fluindo através de você, rodeando-o e irradiando de você, formando-o novamente de acordo com a imagem perfeita da vida íntima de sua alma. Conscientize-se de que o Espírito é tudo, que Deus está presente e que nada mais há além d'Ele.

Se você se convencesse do poder de criar que possui, não gastaria tanto tempo útil e tanta energia na execução de supostos deveres que não são produtivos nem necessários.

As mulheres, principalmente, se desgastam na conservação de casas imensas, quando, se estas fossem menores e com menos mobília, serviriam da mesma forma.

As preocupações prejudiciais e exaustivas poderiam ser evitadas e grande parte do tempo economizado seria aplicado ao aperfeiçoamento pessoal. Você deve procurar, de preferência, as coisas que produzem o desenvolvimento da alma, o bem-estar e a felicidade dos que o rodeiam, porque nisso está o melhor caminho para seu progresso e felicidade real.

As causas fundamentais do seu destino

As forças criadoras que são geradas em você e as forças cósmicas que agem por seu intermédio são as causas fundamentais do seu destino.

Consequentemente, para governar seu destino, você deverá dirigir essas forças conscientemente, de maneira que as criações sejam o que for do seu desejo.

Se você não conseguir fazer isso, as forças criadoras serão dirigidas ou influenciadas pelas sugestões das condições e ambientes externos. É isso que geralmente acontece em sua vida, e por isso seu destino é tão incerto, tão confuso e tão em desacordo com o seu ideal íntimo.

Os métodos apresentados no capítulo anterior lhe permitirão entrar no estado de consciência em que as forças do seu organismo poderão ser encaminhadas para qualquer direção.

Depois que uma força estiver sob o seu domínio, você deverá empregá-la sabiamente e com a melhor vantagem.

O bom juízo, a razão, o entendimento e um intelecto brilhante servirão, até certo ponto, para esse fim, porém, para fazer o melhor uso de todo poder, em todas as circunstâncias, é necessária outra faculdade. Essa faculdade é a penetração interna ou o poder de discernir as causas, princípios e leis que se acham abaixo da superfície. É um sentido que todos nós possuímos até certo grau, o qual sente e sabe como as coisas se passam e como deverão acontecer, e, portanto, poderá ser denominado o segredo de todo êxito e de todas as grandes realizações e aquisições.

É por meio dessa faculdade que você faz a coisa certa, no tempo certo, com ou sem o auxílio da prova exterior.

As grandes mentalidades que tiravam vantagens de oportunidades excepcionais no momento psicológico foram levadas a fazer assim por essa mesma faculdade, e o que geralmente se denomina boa sorte extraordinária, é simplesmente o resultado de atos de que a penetração interior foi instrumento na produção.

Ninguém atingiu nem atingirá o ponto culminante da aquisição e do triunfo sem essa faculdade. Na ausência da penetração interior, a maior parte da melhor capacidade seria mal dirigida e a maioria de seus poderes seria perdida.

A penetração interior não é uma faculdade que você precisa adquirir, pois todos a possuem em grau considerável, sendo apenas necessário que a desenvolva mais e a empregue conscientemente.

Como se relaciona diretamente com as forças mais sutis da vida, analisando a natureza, os movimentos presentes e as possibilidades ocultas dessas forças, essa faculdade está em relação com o mundo dessas mesmas forças, de modo que deverá ser exercida para maior eficiência.

Para dar a essa faculdade a mais completa expressão, de forma que possa ser empregada com exatidão em qualquer campo desejado, o primeiro ponto essencial é exercer a penetração interior em toda oportunidade possível. Não é necessário que você aceite invariavelmente seu veredito, mas deverá procurá-lo sempre.

Será proveitoso fazê-lo mesmo nos negócios diários de pouca importância, porque é discernindo a lei da ação nas pequenas coisas que você aprenderá a discernir a mesma lei nas coisas maiores.

Quando essa faculdade estiver desenvolvida você não mais julgará pelas aparências, nem será desviado de seu caminho; pelo contrário, julgará de acordo com os fatos reais que se acham na base das coisas, e como para o domínio de seu destino você precisará tratar de coisas subjacentes, a penetração interior se tornará indispensável.

Quando estiver envolvido em mudanças ou tiver alguma coisa a decidir, espere para escolher o caminho conveniente e decida corretamente pela ação da penetração interior. Tenha sempre uma fé perfeita no poder dessa faculdade. Isso não só fortalecerá a faculdade, mas quase sempre produzirá a decisão desejada.

Quando, nessas ocasiões, se apresentarem ideias em conflito, entre num estado mental profundo e sereno, esquecendo-se das diversas ideias recebidas e desejando com toda a sua vida estabelecer o que deseja saber.

Permaneça nessa atitude durante dias, se for necessário, ou até que receba uma só decisão principal sobre o assunto. Você a obterá, e o esforço ativo e prolongado desenvolverá a sua penetração interior em grau considerável.

Para determinar a confiança que você deverá dar a uma ideia recebida pela penetração interior, experimente-a pela razão, sob todos os pontos de vista, e, se continuar a ser uma convicção predominante, será a verdade que você está procurando.

Ao esperar a informação por essa faculdade, sua mente deverá ser conservada tão calma e elevada no pensamento quanto for possível. Todas as emoções e sentimentos deverão ser evitados e a imaginação deverá estar perfeitamente calma.

A verdadeira atitude que você deverá tomar é manter um olhar elevado de sua mente, livre das aspirações ansiosas e perfeitamente serena e receptiva.

Espere receber a informação desejada da sabedoria superior de sua mente mais elevada, e compenetre-se de que, positivamente, essa sabedoria existe.

Enquanto espera a sabedoria superior desenvolver o que você deseja saber, seja positivo ao seu ambiente e a tudo o que há no exterior. Não permita que os seus sentidos lhe sugiram alguma coisa sobre o assunto.

Seja apenas receptivo à sua vida interior, isto é, sinta no íntimo que a sua mente está aberta para a sabedoria real de dentro.

Nunca coloque em dúvida a existência da superior sabedoria interna; isto fecharia sua mente a essa sabedoria. Você sabe que ela existe, tem exemplos diários para prová-la, e quanto mais fé tiver na sua realidade, mas perfeitamente a sua mente responderá ao seu desenvolvimento.

Outro ponto essencial para a completa expressão da penetração interior é refinar o cérebro físico de forma que mesmo as menores atividades mentais possam produzir impressões perceptíveis. Isso se realizará despertando as forças mais sutis do seu organismo e dirigindo essas forças por meio de uma concentração profunda e serena, para todas as partes do cérebro. Você deverá fazer esse exercício durante alguns minutos, várias vezes por dia, e quanto mais refinado sentir o seu organismo na ocasião de fazê-lo, maiores serão os resultados.

No emprego da penetração interior, você não deve desprezar a razão e o entendimento objetivo, pois os melhores resultados serão obtidos quando os aspectos internos e externos do juízo forem desenvolvidos simultaneamente e sempre aplicados conjuntamente.

Dessa forma, a sua mente adquirirá o poder de distinguir, de um lado, as causas externas, e do outro, compreenderá como adaptar os movimentos atuais dessas causas às atuais condições externas. Isso colocará o ideal e o prático em ação unida em todas as ocasiões, coisa absolutamente necessária.

Ao exercer a faculdade de penetração interior, seu esforço predominante deverá ser: *ver através* das coisas, porque, se for contínuo, o desejo predominante sempre se realizará.

Pensamentos construtivos

Emerson disse: "Acautele-se, quando Deus deixar solto um pensador neste planeta, porque, então, tudo estará em risco."

É ao Pensador que a humanidade deve sua evolução das cavernas e das árvores cavadas, para os palácios, a imprensa e os navios de guerra.

A civilização é a materialização do pensamento do Pensador, a materialização dos Ideais Humanos. Se você não estender o significado da palavra "coisa" para incluir as ideias imateriais, não poderá afirmar como verdade que os "pensamentos são coisas". A concepção comum de coisas é a daquilo que é percebido pelos sentidos.

Porém, numa percepção superior, os Pensamentos são maiores do que as coisas, porque são expressão do Poder que cria as coisas. São as forças invisíveis que governam as condições externas e as coisas são o resultado. Em lugar de dizer: "Os pensamentos são coisas", prefira dizer: "O Pensamento é Poder!" E então você notará que as coisas são manifestações do poder.

Pela Lei da Criação Especial, o pensamento se cristaliza no plano inferior de consciência numa coisa. É, portanto, no plano mental da consciência que você é o criador. Tudo se desenvolve conforme as Leis de Formação do Absoluto. Obedeça e dirija a Lei. Porém, o Poder Único que emprega a Lei para sua expressão é o Único criador das coisas. As coisas são apenas projeções d'Ele mesmo no plano de consciência dos sentidos. Todas as coisas possíveis existem na Lei, no Absoluto, em Deus. Sob a Lei, o mundo e todos os fenômenos naturais saíram d'Ele. Porém, houve um limite para essa forma de expressão, e do material projetado pelo Absoluto deverão se manifestar formas ainda mais elevadas, e chegou o tempo em que o Pensador deverá ser expresso. Assim veio o Pensador. Ele é a projeção da Mente mais adiantada de todas as outras formas criadas, nas quais a Mente se manifestou anteriormente. Nesta forma pensante, a Mente tem expansão ilimitada para Seu Pensar. Quando Deus disse: "Faça-se!", as formas apareceram. Porém, antes de haver um cérebro com alguma quantidade de matéria parda, não se podia pensar. Portanto, Ele se individualizou e, por meio do cérebro humano, pensou, e coisas que não eram possíveis sem esse cérebro, vieram à expressão sob a mesma Lei que produziu mundos, plantas e animais.

Certamente, o Pensamento é a Onipotência individualizada. O homem é Deus pensando.

Portanto, todas as coisas artificiais são a materialização nas vibrações inferiores, sob o poder do pensamento humano; a expressão dos ideais humanos, pinturas mentais refletidas na permanência da matéria.

Muito bem disse Emerson: "As instituições são a sombra alongada de um homem." As instituições são a medida da civilização.

As criações do pensamento mudaram a terra de deserto para fertilidade, e levaram o homem do estado selvagem para a civilização atual.

Todas as criações artificiais são apenas reflexos humanos no finito dos ideais divinos em sua infinidade.

Portanto, você é, por meio de seu pensamento, um criador especial. Porém, seu campo é limitado somente ao pensamento. Toda a obra é feita pelo Poder Único. O mesmo Poder que esculpe as montanhas e vales esculpe a rosa sobre a mobília de minha sala.

O Poder Absoluto fez o ferro, a madeira e o material das plantas, com que o Homem, o Pensamento dirigido, fez o papel.

Os Ideais do Homem se tornam o modelo no qual o Poder Universal flui e toma forma em coisas, do mesmo modo que o Ferro de forno flui nos moldes de areia e forma as diversas partes da máquina em que estou escrevendo.

O Absoluto cria, incorporando-se no caos e depois em mundos de matéria-prima. O Homem, como criador individual, dá forma a essa matéria-prima de acordo com seu Pensamento. O vento e a vaga são manifestações do Poder Absoluto, porém sem pensamento. Manifestam-se em oitavas de vibração inferior, e o mesmo sucede com a beleza da rosa e o canto do pássaro. De modo semelhante, o Absoluto se manifesta em oitavas superiores como Pensamento do Homem.

No Pensamento é verdade que o "Pai e eu somos um!" É nesse sentido que é verdade dizer-se: "Penso, logo *existo!*" Existem muitas formas de Existência que não podem dizer: *existo!*

Pensar é criar uma pintura mental. O Poder Universal deverá criar essa forma-pintura no invisível e, sendo criada, ela tomará forma nas vibrações inferiores da vida dos sentidos. Aquilo que é criado mentalmente deverá expressar-se no objetivo, que é a vida dos sentidos.

Nisso está a Verdade da Lei da Sugestão: Eu sou o que Penso Ser! Pelo Pensamento crio meu Eu Consciente!

Por esse motivo, você deverá aprender a tratar a Vida como o faz com o Poder, aprendendo a criar sua vida objetiva como o artista cria sua estátua ou o operário cria sua máquina. A estátua existe na mente como realidade. Existe no objetivo como um reflexo, uma sombra.

Portanto, a sua vida, na realidade, é subjetiva. A expressão dos sentidos é apenas uma sombra. A Causa é o Pensamento; as aparências são o efeito. Para mudar a aparência, você deve mudar a Causa, isto é, mudar seu pensamento e construir diferentes ideais.

Todas as condições de alegria ou tristeza, de prazer ou dor, de saúde ou doença existem na Mente-Causa antes de encontrarem expressões como efeitos no corpo e no ambiente.

O artista sabe exatamente o que deseja que o mármore, a tela ou o edifício expresse. Raramente você tem uma pintura definida do que deseja que a Vida lhe expresse. Geralmente, você deixa que os Ideais lhe sejam construídos pela sugestão de amigos, companheiros de negócios ou pessoas de seu ambiente, e também pelos reflexos da experiência, e então contraria os efeitos. O resultado é que, não tendo ideal definido e vacilando em sua vontade, a expressão da sua vida se torna uma composição de diversos ideais; bons, maus e indiferentes e, por consequência, não é satisfatória.

Para estar satisfeito com a sua vida, você deve conscientemente construir seu ideal e se concentrar nele como o escultor o faz no dele. Você deverá se apegar a ele com igual persistência. Não ao que espera ser, mas ao que é agora, porque, no momento em que criar o Ideal, você será ele e, concentrando nele, faz que se torne real. O Ideal é o real no mundo da Causa. Mantendo a Causa, você força o Poder a obedecer seu pensamento, e assim se tornará aquilo que determinou para si mesmo na Causa.

Você terá assim de considerar a Vida como o material grosseiro de que terá de criar o seu Ideal na atualidade; como os fios se acham nas mãos do tecelão e constituem o material para o tapete que ele está tecendo.

Isso quer dizer que você deve estar no Pensamento daquilo que deseja, como se estivesse vivendo no pensamento do que foi ou é agora na aparência. Abandone o passado. Deixe-o morrer. Viva a pintura presente. Tudo o que você deseja, tudo o que construiu no Ideal existe agora. Pense como se estivesse nele. Afirme-o, e assim você se tornará o Senhor do seu Destino, criando-o no Pensamento e conservando-o na Vontade, até esquecer todas as outras coisas e se tornar o ideal que determinou ser.

Isto é se aproveitar conscientemente da Lei da Sugestão e governar seu destino. Esse é o tema de todos os livros de psicologia esotérica, que terão sempre de reconhecer a Única Lei da Vida: Sou aquilo que penso ser.

Por meio desta Lei, você cria, conscientemente ou não, a saúde e a felicidade, ou o contrário, e nisso você esteve e está atualmente expressando a vida. Você representa hoje os ideais de ontem. Age com resultado sobre o caráter de todos os ideais passados. Incorpora os ideais de hoje na estrutura de seu caráter e eles influenciarão sua conduta e pensamento de amanhã. Portanto, é necessário que considere cuidadosamente seus pensamentos e siga o conselho de Paulo em sua epístola aos filipenses (IV-8), onde diz: "Pense nessas coisas!"

Mantenha belos pensamentos e adquirirá a beleza.

Portanto, construa seu ideal hoje e pense nele. É tudo o que você pode fazer. Desde o momento em que você pensa, o Poder Absoluto recebe seu pensamento como direção, e começa a manifestação desse Ideal em sua vida atual, que é a expressão objetiva da vida.

"Acautele-se quando Deus deixa solto um pensador", e acautele-se sobre o que você pensará como Pensador que é. Efetivamente, assim como sua sombra o acompanha, os resultados de seus pensamentos o seguirão.

Você é construtor e constrói apenas no reino do Pensamento, porém Deus manifesta no plano da vida sensível os pensamentos que tiver. O que você semear no Ideal colherá na vida atual.

Pode quem pensa que pode

Numerosas ideias novas de extremo valor apareceram recentemente nas publicações correntes, porém uma das mais valiosas é a ideia de que "pode aquele que pensa que pode".

No domínio do seu destino, não só será necessário conservar essa ideia constantemente na sua mente, mas também fazer o melhor uso possível da lei em que essa ideia é baseada.

Para realizar alguma coisa, é necessário ter capacidade para ela, e foi demonstrado que, quando você pensa que pode fazer certa coisa, você aumenta o poder e a capacidade da faculdade necessária para fazer o que você pensa que poderá fazer.

Assim, ao pensar que poderá prosperar em negócios, você faz com que sua capacidade comercial se desenvolva, porque, pensando que poderá prosperar em negócios, você atrai todas as energias criadoras de seu organismo para suas capacidades comerciais e, consequentemente, elas se desenvolverão. E enquanto elas se desenvolverem, você estará adquirindo a capacidade que poderá produzir positivamente o seu êxito nos negócios.

Pensando constantemente que poderá fazer certas coisas, você desenvolverá o poder de fazê-la, porque a lei é que, em qualquer parte de sua mente em que concentrar a sua atenção, o desenvolvimento dela se dará, e naturalmente você a concentrará sobre a faculdade que foi exigida em fazer aquilo que você julga poder fazer.

Se pensar que poderá compor música e continuar a pensar que pode fazê-lo, você desenvolverá sua faculdade musical própria para compor música. Embora não tenha agora o menor talento musical, pensando constantemente que pode compor música, você desenvolverá esse talento.

Os resultados começarão a aparecer em poucos meses, porém, às vezes, poderão ser necessários alguns anos; entretanto, se você continuar a pensar que pode compor música, em poucos anos poderá fazê-lo. Com o tempo, poderá desenvolver-se até chegar a ser um gênio musical.

Entretanto, será necessária a persistência, e todo o seu pensamento deverá ser concentrado diariamente sobre essa realização. Isso, porém, não será difícil, porque não demorará muito e toda a sua mente formará uma tendência a acumular todo o seu poder e energia criadora na região dessa faculdade única, e um desenvolvimento constante se dará tanto consciente como inconscientemente.

Seja o que for que você deseje fazer, se pensar que pode, desenvolverá o poder necessário, e quando tiver adquirido o suficiente poder e capacidade, os resultados tangíveis se seguirão.

Esta lei lhe permitirá realizar tudo o que quiser. Embora sejam necessárias algumas semanas, alguns anos ou uma vida inteira para alcançar a meta, positivamente você a alcançará cedo ou tarde, se continuar a pensar que pode.

O pensamento é criador. O pensamento faz de você o que você é. E o pensamento poderá mudar-lhe ou alterar qualquer de suas qualidades mentais, se você quiser fazer essas mudanças.

Existem muitos modos de desenvolver as diversas faculdades mentais por meio da concentração do pensamento, porém o método mais penetrante e mais perfeito é pensar persistente e continuamente que você poderá fazer aquilo para que foi criada a faculdade que você quiser desenvolver.

Se quiser tornar-se grande orador, pense continuamente que poderá fazer um discurso sem igual e, se você persistir nesse processo de pensar, as suas faculdades receberão tanto pensamento construtivo, tanta energia criadora e tanto poder, que um desenvolvimento superior tem positivamente de se dar nessas faculdades. Toda a sua mente se entregará à oratória e esta não poderá deixar de se desenvolver.

Sempre que empregar toda a sua mente a uma faculdade, ela se tornará notável; portanto, você poderá tornar-se notável em qualquer direção que escolher.

O segredo é a persistência. Depois de ter decidido o que quer fazer, comece a pensar incessantemente que pode. Não dê atenção aos insucessos temporários; convença-se de que pode e continue a pensar que pode.

Se continuar na consciência da lei que rege esta ideia, você terá resultados maiores e mais rápidos, porque, neste caso, dirigirá conscientemente o processo de desenvolvimento e saberá que pensar que pode é desenvolver o poder que pode.

Conservar constantemente em sua mente a ideia que "pode aquele que pensa que pode" aumentará persistentemente as suas qualidades de fé, autoconfiança, perseverança e persistência e, se desenvolver essas qualidades em graus cada vez maiores, infalivelmente você irá para a frente.

Portanto, se você viver na convicção de que "pode quem pensa que pode", não só aumentará sua capacidade nas linhas desejadas, mas também produzirá o poder de impulsionar essa capacidade em ação viva e palpável.

Além de pensar que você pode fazer, procure fazer, ponha em prática imediatamente o poder e a capacidade que você possui, e continue a pensar que pode fazer mais.

Se você conservar em sua mente a ideia de que "pode aquele que pensa que pode", também isso conservará a sua atenção nos altos ideais que você tiver em vista, o que é uma coisa extremamente importante.

É fato que se você não fornecer modelos ideais às energias criadoras da sua mente, essas energias empregarão tudo o que passar diante delas, conforme os sentidos admitirem toda espécie de impressões do exterior.

As energias criadoras da sua mente estão constantemente produzindo pensamentos, e esses pensamentos são produzidos à semelhança das mais profundas, mais claras e mais predominantes impressões mentais. Portanto, é absolutamente necessário que as impressões predominantes sejam aquelas em cuja semelhança você deseja desenvolver-se, porque os seus pensamentos serão como as suas impressões forem, e você será conforme forem os seus pensamentos.

Quando você pensar que triunfará, a impressão predominante será a ideia de sucesso. Portanto, todos os seus pensamentos conterão os elementos de sucesso e as forças que podem produzir o sucesso e, por sua vez, você ficará plenamente preenchido da própria vida do sucesso.

Nada triunfa como o sucesso; portanto, se você estiver repleto do espírito do sucesso, nunca poderá falhar; e o que é mais importante: as forças que contêm os elementos do sucesso lhe darão as qualidades essenciais próprias ao seu êxito, porque os semelhantes se reproduzem. E também a faculdade exigida para produzir o sucesso desejado será aquela em que essas energias para o sucesso serão concentradas.

Se você tiver a capacidade para fazer certas coisas, elas serão feitas, como concluímos anteriormente, e a capacidade de fazer o que quiser fazer lhe virá quando você pensar constante e persistentemente que pode fazer o que quer fazer.

No domínio do seu destino, é indispensável aplicar a lei em que essa ideia se baseia, porque sendo o destino criado e não governado, todos os elementos do seu destino deverão ser constantemente recriados.

Porém, você não poderá fazer isso se não pensar que pode. Para mudar muitas das circunstâncias e condições que agora o rodeiam lhe são necessários mais capacidade e poder do que você possui agora, e, para obter esse maior poder, você deverá realizar a mudança e a melhora de tudo em seu mundo, agindo na convicção de que pode fazê-lo.

Pensando constantemente que pode mudar todas as suas condições, você adquire o poder de produzir essa mudança e, consequentemente, alcançará sua meta.

Se você enfrentar o seu ambiente com a crença de que está desamparado diante de tantos obstáculos invencíveis, você permanecerá no lugar em que estiver.

Porém, se enfrentar o seu ambiente com a atitude mental de que pode vencer e dominar, começará a vencer, dominar e mudar todas as circunstâncias pela persistência de seus pensamentos nessa direção. Pensando que pode, você conseguirá fazer tudo o que desejar.

Matéria, movimento e espírito

O principal obstáculo para sua mente aceitar as ideias do Mentalismo é a antiga concepção dual do universo. Tanto na ciência como na teologia, essa dualidade perdurou. Designaram-na por Mente Matéria, Matéria e Espírito, Alma e Corpo e muitas outras antíteses. O pensamento comum ainda é atualmente a dualidade: Deus e o homem. A realidade, porém, é: Deus — Espírito — Mente — inclui tudo. Poucos são aqueles para os quais Deus é tão grande para conter o homem.

Para as pessoas de ideias antigas, os termos Deus e Espírito se relacionam com o sobrenatural. Em seus pensamentos você está levando o Universo ao pensamento universal como sendo natural. É tão natural morrer como nascer; natural viver sem corpo ou com ele; natural estar doente ou não; natural ser feliz ou ser infeliz, porque cada condição é o efeito da Causa.

As afirmações do poder curador do Pensamento parecem atingir os limites do miraculoso para aqueles que não compreendem a atual posição da ciência. A filosofia científica preparou o caminho para a mentalidade comum aceitar uma filosofia metafísica da vida, quando ela é apresentada a essa mentalidade em harmonia com a ciência. A ciência mental é um fato. De acordo com a ciência moderna, o universo é para a Consciência apenas "Modos de Movimentos". O anúncio da "Lei da Conservação e Correlação da Força", há mais de cem anos, preparou o caminho para a concepção da unidade sobre a qual se baseia o Mentalismo. "A Matéria é um modo de movimento", afirma a ciência. Pelos fenômenos de telepatia, demonstra-se também que o Pensamento é um modo de movimento e os fenômenos psíquicos, lendo as coisas por meio das vibrações, também demonstraram que o Amor e toda emoção também são modos de Movimento.

O Uno que todos reconhecem como "o Poder por trás dos fenômenos", é conhecido por você apenas ao senti-lo pelo contato de algum modo de movimento. Deus é para nós apenas aquilo que vibra. Você conhece alguns dos seus modos, porém não o conhece. Porém ele **existe**, porque, do contrário, não haveria manifestação pelo Movimento. Você está aprendendo a respeito d'Ele pelo estudo das coisas que encontra nas vibrações, e tudo o que poderá conhecer sobre Ele é através de vibrações e pela vibração. Está presente em toda parte e sempre com todo o Seu poder — assim está presente em cada coisa.

Todos os movimentos semelhantes passam através de espaço igual em tempo igual, porém os movimentos diferem em extensão de ondas e rapidez de movimento. As ondas elétricas foram calculadas 1.156.000 de polegada, em comprimento. A onda magnética e a onda da gravidade alcançavam o comprimento de 186.000 milhas, ao passo que a onda de luz vermelha é muito curta e rápida para ser medida com os atuais instrumentos.

Ondas de comprimentos diferentes produzem na consciência sensações e sentimentos diferentes. Cada um dos seus sentidos, como o olfato, o paladar, a audição e a visão é diferenciado do sentido do tato. Tocado por ondas de certo comprimento, você diz: "Vejo"; por outras mais curtas: "Ouço". A sensação é, portanto, imitada pelo reconhecimento das vibrações ao redor de você. O desenvolvimento do indivíduo e da humanidade está no reconhecimento de um maior número de sensações. Efetivamente, cada vibração produz uma sensação na consciência e a consciência é o Indivíduo. A diferença entre o astrônomo observando com a lente e o homem comum está na vista treinada e na maior compreensão daquele e na vista destreinada e falta de compreensão deste. O ouvido do maestro de orquestra percebe sons dissonantes que o ouvido destreinado não percebe. Os que sentem mais do que os outros são sensitivos. Esse aumento de sentimento segue a linha de desenvolvimento espiritual. Você deverá aprender a sentir e compreender o que sente e por quê.

A Telepatia e a Transmissão do Pensamento são atualmente comuns, porque as pessoas são mais sensitivas, e a atenção, tendo sido chamada para os fatos, produz o desejo, e as pessoas estão aprendendo o que sempre sentiram, porém não notaram.

Assim como seus olhos e ouvidos foram treinados, esta faculdade de reconhecimento da sensação será tão treinada que futuramente suas mensagens serão levadas por um mensageiro muito rápido.

Emita um pensamento ou fale uma palavra e o sensitivo treinado imediatamente o compreenderá. Mais ainda: os rostos e ambientes dos oradores também irradiam, e essas irradiações, sendo reconhecidas, tornam desnecessárias as viagens. Você vê e ouve seus amigos apenas ao sentir e você reconhece as sensações que o pensamento deles e sua presença produzem em você.

Assim, o reconhecimento do Pensamento como Força destruiu a ideia de duas formas de existência: Matéria e Espírito — destruiu a ideia de dois mundos. Só há um mundo, uma vida. A morte é apenas uma mudança de vibrações. Os chamados mortos vivem no mesmo mundo como sempre o fizeram. Sempre pensam e amam. Suas vibrações de pensamento e amor estão ao redor de você como antes de mudarem sua forma de manifestação.

Desde o momento em que a ideia de separação se afastar de sua mente e o pensamento de Unidade encontrar abrigo nela, todas as antigas concepções desaparecerão como um pesadelo, e em lugar dela virão a certeza e o reconhecimento da Vida que é agora mesmo a permanente vida espiritual.

A sua personalidade e o seu eu real

Jesus disse: "Eu não posso de mim mesmo fazer coisa alguma. O Pai dentro de mim faz as obras". Essas palavras podem designar que a atividade da vida perfeita que você deverá viver, fundada na Sabedoria de Deus, é o que é Deus e Sua Obra.

Esta expressão do Cristo é claramente uma que exige meditação profunda para você poder compreender a sua significação completa. Na sua investigação da Verdade, parece-lhe estranho que, reconhecendo o próprio fato de que Deus está em você, você não pode compenetrar-se plenamente da Verdade da Imanência de Deus.

"Não posso de mim mesmo fazer coisa alguma" explica por que, na maioria das vezes, você não pode compreender o que é Deus. Porém, a significação profunda que foi expressa nessa afirmação é esta: Realmente, sou capaz de nada fazer, deixando Deus fazer tudo. Ao examinar o assunto a essa luz do entendimento, você poderá ver e compreender, então, a profunda distinção entre seu pequeno eu e o Grande Eu que é Deus. Não podendo fazer coisa alguma ou, preferivelmente, com a vontade pessoal não querendo fazer coisa alguma, nessa forma de completa submissão a Deus, com a completa não resistência que resultará você encontrará o seu verdadeiro Eu, que é Deus.

"O Pai, dentro de mim, faz as obras." Que são essas obras que o Pai faz? — você naturalmente perguntará. Como se manifestaram em Cristo, foram a soma total de um caráter mais perfeito e belo, inteiramente distinto da forma de personalidade indicadora da vontade pessoal. Pelo contrário, falou francamente de seu nada como Realidade. Por outras palavras, era distinta e perfeitamente separado da personalidade universal. É por isso que muitas pessoas não podiam compreendê-lo. Viam manifestada alguma coisa diferente de suas próprias formas de personalidade e, naturalmente, crendo que Ele era Divino, não podia compreender com suas personalidades a Verdade que era e manifestava.

Entretanto, o ponto é que Deus compreende perfeitamente aquele que se esforça para viver o verdadeiro Caráter de Sua Manifestação perfeita. Portanto, se Deus o compreende perfeitamente, que necessidade há que outros o compreendam? Para que possam ver e compreender a importância do eu pequeno e conheçam o Poder de Deus.

O eu pequeno nunca está satisfeito. Por mais que receba honras e honras, por mais que esteja rodeado das ofertas do mundo, embora esteja manifestando agradavelmente, nunca estará satisfeito. Portanto, não poderá ser Deus, como realidade de manifestação.

Para esse mesmo objetivo, Cristo veio ao mundo e deu um exemplo completo da nulidade do eu pessoal. Mostrou plenamente a diferença entre a personalidade e a Verdade que é Deus: o Deus que está dentro de você.

Se você quiser compreender a Verdade, deverá empregar a Verdade a fim de compreendê-la. Não poderá empregar as teorias, imaginações, fantasias, caprichos e inconstâncias do eu pessoal, e esperar com eles encontrar o que é a Verdade.

A Verdade só pode ser compreendida por quem age em harmonia com ela. Essa é a razão por que tantos não sabem compreender a Verdade, pois não empregam a Verdade para compreendê-la. Após tentarem ardorosamente compreender a Verdade, não podem compreendê-la, porque estão empregando outros meios e não os verdadeiros para compreendê-la.

Pilatos perguntou: Que é a Verdade? Ele francamente não a conhecia, já que estava profundamente envolvido com as formas pessoais de seu tempo. A mesma pergunta: Que é a Verdade? ecoou através dos séculos e essa pergunta é sempre feita pela personalidade humana.

Aquele que conhece a Verdade nunca pergunta o que ela é. Cristo nunca perguntou sobre o conhecimento do que é a Verdade, porque sabia que Ele mesmo era a Verdade. E como chegou Ele ao conhecimento da Verdade? Foi, é e será sempre a Verdade. Ora, Ele e todos nós somos absolutamente um na Verdade fundamental de Deus. Certamente, você sempre foi e sempre será a Verdade. Porém, em desacordo com Ele, você procura com a sua personalidade a Verdade, quando, na maior simplicidade, você é a Verdade.

O ponto que lhe importa realizar é o de ser a Verdade, essa realização sendo feita com a Verdade. E, para fazê-lo, você não pode especializar-se num eu separado do Todo. Deverá preferivelmente pensar que é mais pluralidade do que um indivíduo. Os esforços concentrados em você mesmo passarão, então, ao chegar à realização da perfeita pluralidade que você é como manifestação. Então você compreenderá melhor a Deus e a Sua obra.

"Fará as obras que Eu faço e ainda maiores". O "Eu" desta afirmação da Verdade não é o seu eu pessoal. É falado como um Entendimento Universal e não pode ser questão de personalidade. É a Forma de expressão de Deus como Poder. É uma afirmação perfeita e poderosa da Verdade. Por outras palavras, a matéria como foi expressa não poderá manifestar-se de outra forma.

Você poderá, agora, formar uma ideia mais clara da Verdade Absoluta? Para maior explicação: Deus diz certas coisas. Elas se manifestam infalivelmente; não poderá haver outro meio para agirem, exceto se manifestarem como Deus o quer. Portanto, o que é infalível, absoluto, supremo, perfeito, é a Verdade que é Deus.

É essa forma de manifestação que todos desejam manifestar, quer consciente, quer inconscientemente. Todos desejam um poder que seja infalível, perfeito, supremo. Desejam que as coisas da sua vida estejam tão ajustadas que as desarmonias cessem completamente. Desejam sentir a Felicidade de Deus, não apenas ouvir falar nela.

Porém, rotineiramente, você deseja que todas essas sublimes atividades se manifestem para o engrandecimento da sua própria personalidade. Essa personalidade é a pedra de tropeço, como Cristo a mostrou tão claramente. Você deve abandonar o modo artificial de agir, dispensá-lo completamente. Na realidade, que outra coisa poderá fazer senão abandoná-lo? Certamente, como poderá esperar manifestar seus Poderes Divinos enquanto for apenas personalidade?

Você poderá ver perfeitamente que a Sabedoria de Deus não permitirá à personalidade acesso a Deus. Os Poderes, como a Verdade, somente poderão ser conhecidos pela Verdade e com Ele. Pelo contrário, a personalidade só pode conhecer as regiões em que age e nada mais.

Como você nunca poderá estar satisfeito com os reinos somente nos quais a personalidade pode agir, os quais são necessariamente limitados, é perfeitamente evidente que, para conhecer o ilimitado, você deverá dispensar o ilimitado. Para fazê-lo, terá apenas de despertar a Sua Natureza verdadeira e ela se manifestará em lugar de sua personalidade. Por outras palavras, você deverá sentir perfeitamente a verdade, constituída pela Pluralidade de Vidas, e identificar-se com ela.

Isso lhe dará uma visão ilimitada, a paz perfeita e a compreensão universal. Nessa forma de Verdadeira Consciência, você poderá agir sabiamente, porque realmente manifestará sua Natureza Divina, que é Poder e Felicidade ilimitados.

Desejo, pedido e afirmação

Se alguma vez você observou a conversa de pessoas que perderam sua posição e decaíram de um estado mais ou menos confortável, a análise do modo de pensar dessas pessoas lhe será de grande valor educativo.

Numa conversa com elas, você logo notará que o Desejo, como definido elemento mental, se acha habitualmente ausente das ideias delas. Às vezes têm desejo, porém de uma forma muito rudimentar e vacilante.

O elemento do Desejo é muito fraco e variável nelas para ter valor prático e construtivo. Desejam ora uma coisa, ora outra, sem uma ideia definida do que querem.

Seguramente, enquanto seu desejo não servir de estímulo para agir, você permanecerá sempre em condições inferiores.

Entretanto, você poderá refazer sua natureza e caráter. Poderá ser tudo o que quiser e realizar as coisas que projetou, adquirindo aquilo que estiver determinado a alcançar.

Antes de tudo, porém, é preciso formular seu Desejo, alimentá-lo, cultivá-lo e fortalecê-lo, até que este elemento mental se desenvolva e cresça, adquirindo proporções gigantescas do que a princípio é pequeno e vacilante.

Depois de formulado um Desejo real, como sendo a realização básica da sua vida, você deverá fortalecê-lo continuamente por um constante e inteligente pedido.

Deverá fortalecê-lo e sustentá-lo por uma constante afirmação da sua realidade objetiva.

Por piores que sejam as suas condições, este processo de atividade mental poderá encaminhá-lo para o sucesso em tempo não muito longo. Seja qual for a linha de atividade que escolher, ele lhe permitirá triunfar. Ele é o processo que desperta e estabelece a atividade desejável do Princípio de Serviço do Espírito Universal de Vida. É um processo que, gradual, porém seguramente, expulsa e elimina os efeitos do pensamento errado da região subconsciente da sua mente.

A sua Mente Consciente representa o seu Ego Individual, e os seus dois elementos, o Desejo e a Vontade, são os principais instrumentos empregados pelo indivíduo em sua carreira evolutiva.

As explicações acima são resumidas, porém, são suficientes para lhe permitir compreender e aplicar as informações que passarei a dar. Afinal, a aplicação é que vale. Porém, se você não tiver uma clara compreensão da teoria, não poderá colocá-la convenientemente em prática, e assim, também, se não aplicar o conhecimento adquirido, não agir de acordo com a teoria, não terá proveito algum.

Se eu lhe desse aqui um processo eletroquímico pelo qual você pudesse transformar os metais em prata e a prata em ouro, isso seria inútil se você não tivesse os aparelhos necessários para executá-lo. Tendo o conhecimento e os aparelhos necessários, lhe bastaria apenas aplicá-lo no uso dos aparelhos.

Apesar da simplicidade dessa teoria e a aparente facilidade da sua aplicação, posso garantir que, se você aplicar estes conhecimentos, diligente, consciente e persistentemente, obterá resultados desejáveis e certos.

Você precisa lembrar-se que, ao fazer como lhe é aconselhado, estará tratando das causas invisíveis e visíveis das condições aparentes. Se persistir, terá grande contentamento, embora haja algum atraso.

Somente você é responsável pelas suas circunstâncias e condições de vida.

Se você é infeliz, doente e pobre, não terá que acusar senão a si mesmo.

Se aceitar que as condições gerais da sociedade serão obstáculos para você e as considerar causas do mal, em vez de conscientizar-se de que elas são simples efeitos e que a causa está na mentalidade dos próprios indivíduos, não poderá tirar proveito destes princípios.

Você deverá saber que nação alguma poderá modificar as condições de saúde, prosperidade e felicidade de cada indivíduo pela sua legislação. Os próprios fatos observados demonstram que a nação não pode forçar o indivíduo a ser sábio ou honesto, e só ele pode voluntariamente proceder dessa forma.

Para conseguir os resultados desejados, você deverá agir da seguinte forma:

1. Se estiver num estado mental desanimado, doentio ou triste e lhe faltar o Desejo, procure despertá-lo. Não tenha receio de estabelecer o Desejo de alguma coisa de real valor para sua felicidade, e cultive-o até que se torne o alvo da sua vida.

2. Em segundo lugar, faça o pedido mental das coisas ou condições que desejar, *sejam quais forem*, desde que não prejudiquem os outros.

3. Finalmente, formule uma afirmação que expresse os objetivos e condições desejadas. Faça-a com fé, firmeza e determinação, e *sempre no tempo presente*.

Você não deverá alterar seu Desejo, Pedido e Afirmação, mas, sim, mantê-los firmes, porque assim os resultados virão infalivelmente.

Entretanto, afirme sempre que o Espírito o está guiando para o caminho justo e reto para a manifestação do seu pedido, a fim de que você esteja livre das consequências desastrosas de um pedido mal dirigido.

Para cada um de nós existe um caminho individual e próprio, que, se for seguido, só poderá nos trazer felicidade e fortuna.

A perpétua renovação

O melhor remédio do mundo é a mudança, desde que seja criadora e construtiva no bem. Ela designa a passagem do velho e limitado para o novo e ilimitado, do menor para o maior. "Seja transformado pela renovação de sua mente" é uma admirável sugestão, se for executada.

Os fatos demonstram que todo o universo está passando perfeitamente por um processo de renovação. A não ser os eternos princípios, nada é fixo. Tudo é mudança, e o objetivo da mudança é renovar sempre todas as coisas. Todas as coisas vivem, se movem e têm sua existência no espírito e na lei da mudança, e essa mudança é produzida pela lei da renovação perpétua. Todo progresso deverá necessariamente ser seguido pela renovação e melhor manifestação. "Veja que renovo todas as coisas", diz o Verbo Criador.

Você sabe muito bem que muitas mudanças, principalmente na vida religiosa, não são procuradas ou desejadas. Você poderá querer mudar e mudará em todas as coisas externas, porém, nas coisas mais essenciais da vida você recusará a mudança e, por consequência, estará existindo no plano não progressivo da morte; porém a vida, toda vida como é manifestada pelo indivíduo, é mudança. Tudo muda, deverá mudar, porque todos os atos do princípio criador designam mudança e "perpétua renovação".

Produzir a mudança em harmonia com esta grande lei é aumentar o prazer, a plenitude e alegria da vida. A morte e a estagnação não são viver, mas designam perda e separação de tudo o que seja progresso e alegria. A renovação perpétua é mudança, desenvolvimento e crescimento em tudo o que faz a vida ser de alegria e satisfação. Seja para que lado você volte seus olhos, verá esta lei em ação, e seus insucessos aparentes são apenas consequência do indivíduo não cooperar inteligentemente com o poder que pode. No reino da natureza, que maravilhas são operadas, que transformações estão sendo feitas! O cacto sem espinhos, a gigantesca ameixa sem caroços, frutos sem sementes, tomates brancos, amoras silvestres sem espinhos, flores que não murcham nem perdem a cor, uma coloração que muda três vezes em três dias, cachos de lírio de várias cores, sem falar das ervas, grãos e vegetais, são realizações maravilhosas. A cooperação está tornando tudo isso um fato sob a lei de renovação perpétua; entretanto, muitas pessoas reconhecidamente livres se recusam a mudar e desenvolver-se com medo "do que dirão os vizinhos".

Para crer e empregar esta grande lei, você deverá saber que ela começa na mente, e nessa ocasião está "no princípio"; tanto a renovação como a destruição terão que começar aí. "A renovação deverá ser dar-lhe uma atitude aspirante, criadora e renovadora. Nada do que for "velho" será "realmente bom" para o seu desenvolvimento e aperfeiçoamento. Se sua mente for ativa no progresso, cooperará com a vida e o bem universal, e dirigirá suas criações para um progresso harmonioso. Renovando-se continuamente, sua mente terá pensamentos novos e superiores sobre todos os assuntos e em todas as ocasiões.

Nada do que você fizer terá valor real, se não for feito com o objetivo de aumentar seu valor e progresso. Nada merece ser expresso se você levar sua mente para alguma coisa além do que já foi pensado, sentido e realizado, e nenhum ato merece ser executado se não for para produzir coisas maiores e melhores.

O aumento incessante da sua consciência de vida aumentará continuamente sua alegria de viver, por isso esse aumento só poderá ser produzido se você viver, pensar, agir e trabalhar para coisas maiores e somente para elas.

Quando a sua mente entra na natureza real de alguma qualidade, começa a criar essa qualidade dentro do seu próprio organismo. Assim sendo, se você tiver o espírito e a inteligência da renovação, o seu Eu Eterno, ou Real, criará expressões novas e superiores em seu corpo, porque a lei da renovação que estará constantemente em ação, criando-lhe um corpo novo, começará a expressar-se de acordo com o verdadeiro motivo da vida. E pelo pensamento e pelos estados mentais retos, essa renovação será bem dirigida para formar uma expressão física melhor e mais refinada, um organismo mais perfeito e delicado. Esse organismo será uma expressão constantemente mais perfeita, resultante da lei do crescimento permanente e, com a continuação dessa obra, as "coisas velhas passarão e um corpo novo entrará em expressão"; a qualidade aumentará dia a dia, até chegar o dia perfeito de sua libertação da idade, doença, morte e limitação.

Assim você chegará ao lugar em que compreenderá plenamente as palavras "serão renovados no espírito e transformados de modo a conhecer a perfeita vontade de Deus", em cuja observação você gozará todas as alegrias da vida e do bem, no esplendor de sua expressão perfeita.

Quem criou seu corpo?

Se você perguntar às pessoas como seus corpos vieram à existência material, a maioria lhe responderá: "nasci e cresci". "Deus me pôs neste mundo", ou "meus pais me geraram".

Em todas estas respostas existe alguma coisa verdadeira, porém nenhuma delas explica por que você é diferente, nem dá uma resposta lógica à pergunta acima.

A resposta verdadeira é esta: "Foram vocês mesmos que fizeram seus corpos".

Talvez você replique: "Isso é impossível, pois o meu corpo foi formado e entrou em existência completamente sem meu conhecimento ou desejo, e não tive nada a ver com ele. Se tivesse, eu o teria feito muito diferente".

Vejamos como isso sucede: Originalmente, havia na Mente Divina a semente da Vida. Essa semente possuía o poder divino de crescer e se desenvolver. Ela continha tudo o que você veio a ser. Havia nela a Mente — não só a Mente consciente, mas também a subconsciente. A Mente subconsciente foi o arquiteto que fez a construção do tecido de seu organismo, da mesma forma que ela agora dirige e constrói esse tecido.

Como age na atualidade subjetivamente, a Mente subconsciente agia da mesma forma anteriormente. Ela constrói conforme a ideia dada. Ela era e ainda é a fonte da inteligência e poder.

Quando a semente da vida começou a se tornar ativa e a formar o que é o seu Eu Real, agiu sob impressões, foi dirigida por influências. Nesse tempo, a sua mente consciente ainda não tinha adquirido experiência, ela estava em branco. Você não possuía o poder consciente de dirigir a mente subconsciente em seu trabalho. O que a influenciou em sua obra? As impressões e influências que estavam contidas na semente original, que veio de seus pais.

Também é sabido que quando a sua mente consciente está inativa, a mente consciente de outra pessoa poderá influenciar sua mente subconsciente. Portanto, os pensamentos de seus pais tiveram grande influência na direção da sua mente subconsciente em sua obra. Portanto, a obra de seu subconsciente, no começo, foi muito influenciada pelas tendências e disposições — impressões mentais de seus pais.

Os seus ossos, músculos, tecidos, cérebro, sangue e nervos foram formados sob essas influências, e elas predominaram até que você começou a empregar sua própria mente consciente para impressionar o subconsciente.

Entretanto, sua mente consciente possui uma influência mais poderosa sobre a sua mente subconsciente do que a dos outros. Então, ao crescer, você começou a recusar a influência de seus pais e a "pensar por si mesmo".

Desde então, você passou a ter influência sobre a formação do seu corpo, e os seus pensamentos, extensamente influenciados pelos atos e pensamentos dos seus pais como base fundamental, começaram a manifestar-se na formação do seu corpo. Isto é uma explicação lógica das suas tendências hereditárias e também explica claramente por que os pensamentos de sua mãe tiveram grande influência no seu desenvolvimento quando criança. Assim se torna claro o texto bíblico: "Visito as iniquidades (maus pensamentos) dos pais nos filhos". Nesse original germe de vida, que é de origem divina, devem ter existido as características da Divindade. Sua mente subconsciente deve ter sido inteligente — exatamente tão inteligente como é agora, porque você foi armazenando todas as suas experiências passadas.

Essas experiências estavam nela, porém você não poderia aproveitá-las enquanto não entrasse na consciência ativa — até que sua mente consciente começasse a desenvolver-se.

À medida que você cresceu, foi influenciado por diversas coisas e ideias, e assim como uma ideia se tornou predominante em sua mente, ela reagiu sobre sua mente subconsciente e influenciou seu trabalho para o bem ou para o mal. Veja, então, que seu corpo é realmente o resultado dos seus pensamentos predominantes, que você governou ou poderia governar. É por isso que existem pessoas nascidas com corpos imperfeitos — resultados de pensamentos errados na mente dos pais, — as quais venceram esses defeitos mais tarde e restabeleceram seus campos na perfeição. Há outros que nunca foram capazes de vencer essas tendências — partes de suas estruturas originais que lhes foram dadas no princípio por seus pais.

Você pode dizer, talvez, que esta é uma bela teoria, porém como poderá ser provada? Bastará fazer um estudo da fisionomia, para compreender a verdade da teoria. Tudo começa com o mesmo plano geral: cabeça, nariz, olhos, dois braços, duas pernas, etc. Porém, logo você observa que cada um desses fatores varia no indivíduo. Se estudar ainda mais profundamente, você verá que os pensamentos ou modos de viver influenciam as feições e as modelam de uma forma ou de outra. Veja, por exemplo, a forma da cabeça. Existe tanto o tipo idealista como o prático e material.

Ora, o que desejo lhe mostrar é que o seu tipo foi primeiramente influenciado pelas vidas e pensamentos dos seus antecedentes — você começou com determinada tendência para um ou outro tipo e, se prosseguisse nessa mesma corrente de pensamento ou ação, desenvolveria mais ainda esse tipo. Você verá assim que, nas famílias em que houve durante gerações certa linha de trabalho que exigia uma linha determinada de pensar — pensamento predominante — nessas famílias você notará que os descendentes manifestaram o tipo que resultou do conjunto e direção do pensamento.

No estudo das pessoas, observei que certos tipos de características definidas sempre aparecem entre os que por muito tempo se relacionaram com uma linha determinada de negócios. Isso foi tão aparente que, às vezes, me admirou e me provou, sem nenhuma dúvida, que nossos corpos são modelados exatamente para corresponder com os pensamentos que são predominantes em nós.

Você vê, portanto, que você construiu seu próprio corpo! Deus emite o germe original de Vida e estabelece a Lei sob a qual esse germe se desenvolve e, se você construir de acordo com a Lei, o formará corretamente, e na proporção que se afastar da Lei, o construirá incorretamente. Deus não executa coisa alguma diretamente. As flores, as sementes, o seu corpo; tudo se desenvolve da semente original da Vida. Esse desenvolvimento será perfeito se puder produzir-se de acordo com a lei de Deus, e imperfeito, se for contrário a essa lei.

Como você pode ver, os corpos que voltam para a Natureza, voltam para a Lei Natural de desenvolvimento e recuperações, porque não são influenciados em seu desenvolvimento pelas muitas e errôneas impressões que a chamada civilização moderna nos impõe.

Estude as faces humanas e você verá que aqueles que mantêm continuamente pensamentos grosseiros e materialistas, adquirem corpos muito materializados, ao passo que aqueles que possuem pensamentos ideais se dirigem para tipos ideais. Verá assim que toda espécie de pensamentos é reproduzida no seu corpo se você persistir neles, e todos poderão lê-los se compreenderem os sinais do rosto.

Mantenha pensamentos retos, aja retamente e viva na retidão, e logo seu corpo mostrará que você é reto, perfeito e sadio, e assim terá a prova de que você é o formador do seu próprio corpo, podendo fazê-lo como você quiser.

A consciência do dinheiro

A chamada origem de todo o mal, o Dinheiro, é a pedra de tropeço do mentalista, do materialista, do socialista e de todas as outras ideologias sociais.

Isso acontece porque, com exceção do verdadeiro mentalista, ninguém será capaz de chegar à base da situação. O materialismo e o socialismo e outras ideologias são como o proverbial touro dos gabinetes chineses: uma força cega e furiosa que, ao despertar, produz a destruição.

O mentalista é uma pessoa afortunada, você pode pensar, e realmente o é! E tem razão de pensar assim.

O mentalista real tem domínio sobre todas as riquezas do Universo, e não se aflige por pequenas mudanças e detalhes. Se você for mentalista e não tiver conseguido essas condições, existe alguma coisa radicalmente errada em seu mentalismo; certamente você não é um verdadeiro mentalista.

O mentalismo não é uma espécie de religião nova. Mentalista é o indivíduo que usa sua mente para um objetivo. Poderá ser ou não religioso. Desde que empregue sua mente com conhecimento e inteligência para algum objetivo que escolher, é realmente mentalista.

Não só age, mas também tira resultados. Os resultados serão exatamente de acordo com o modo pelo qual aplica sua mente consciente para impressionar a subconsciente.

Por falta de melhor paralelo físico, você poderá comparar a mente ao ar ou à água. Tanto o ar como a água são poderosos agentes para o bem ou para o mal, somente ao serem postos em movimento. Se não estiverem em atividade ou movimento, representarão energias adormecidas.

Qualquer criança poderá compreender as possibilidades das tremendas forças de ambos, o ar e a água, porque os poderes ocultos de ambos foram aprisionados e estão sendo utilizados de muitas maneiras. Da mesma forma, as forças elementais desgovernadas de ambos e a destruição produzida por elas são tão conhecidas que não é preciso dar mais explicações.

A Mente em si mesma é energia adormecida, tão inerte, neutra e inativa como o oceano durante a calmaria. Porém, se surgir um pensador e puser em movimento esta energia calma e estática, a Mente, por processos de pensamento consciente e deliberadamente dirigidos, você verá os resultados que ele obterá.

Mas o que tudo isso tem a ver com dinheiro? Tudo, pois o dinheiro representa a riqueza, e todo tipo de riqueza é produto do pensamento. Todo o sistema monetário, como existe na atualidade, representa um desenvolvimento gradual durante muitos anos dos processos de pensamento de uma raça de povos que produziu pensadores, quando a América ainda era povoada por selvagens nus e a Europa por bárbaros vestidos de pele. Esta raça ainda domina o mundo atual. Provavelmente ainda poderá ter o grande privilégio de tomar a iniciativa da futura civilização, a qual se caracterizará pela Justiça temperada pelo Amor.

Entretanto, se essa raça falhar na execução desse privilégio, a lei mental do progresso eterno não falhará, nem poderá falhar. Indivíduos de outras raças levarão adiante a Obra do Infinito, a Mente Universal, em que "vivemos, nos movemos e temos nossa existência".

Esta terra de liberdade, o destilador da dissolução de todas as raças da Terra, é, na verdade, a terra prometida da luz e da liberdade. Daqui sairão, para outros países, indivíduos por meio dos quais outras nações serão abençoadas, beneficiadas e elevadas, como ela foi pelos que aqui vieram.

Pararei aqui nestas previsões. Se, pela minha parte, vejo mentalmente tudo isso, por sua parte você só poderá avaliá-lo por deduções de acontecimentos passados.

Passo agora a tratar do assunto "dinheiro". Certamente você deseja obter a riqueza, sabe que o dinheiro é apenas um símbolo, porém, não deseja tirá-lo dos outros, como certas lições de eficiência comercial pretendem ensinar. Sem dúvida, você não quer ser um mentalista dessa espécie, nem lhe será preciso isso, porque, como mentalista real, você poderá criar riquezas por um processo mental muito simples.

Esse processo, na realidade, é tão simples que você pode achar que não dará resultado. Todas as grandes verdades são simples; porém, se esse ponto especial não lhe for evidente, nada poderei fazer por você.

Nesse caso, você é vítima da educação equivocada das atividades mentais e deverá procurar vencer esse mal. É semelhante a qualquer doença, como indigestão ou artrite, e é produzido por semelhantes processos mentais.

Lance um olhar ao seu redor e observe aqueles que obtiveram os maiores sucessos financeiros entre as pessoas que você conhece. Verificará que não foi algum jogador, explorador ou pessoa que habitualmente faz trapaças. A prosperidade de todas essas pessoas é de curta duração, e os que agem assim geralmente vão acabar seus dias na prisão. Pelo contrário, você verá que os que são indivíduos realmente prósperos são também os mais úteis. Certamente isso não determina que todas as pessoas úteis serão prósperas. É um assunto inteiramente diferente.

Para encurtar esta discussão, a fim de ganhar, você deverá primeiramente concentrar suas energias mentais nos modos e meios para vir a se tornar útil. Em seguida, deverá desejar com todas as suas forças desenvolver-se no campo escolhido de sua utilidade, e então, peça que se abram canais para poder ser útil. Finalmente, deverá afirmar que está realmente empenhado em seu campo de utilidade e está colhendo sua recompensa. Releia este ponto, estude-o e medite sobre ele.

A simples leitura nada lhe dará; porém, pela persistente aplicação sistemática, qualquer pensador adquirirá um milhão, da mesma forma que aquele que não pensa alcançará apenas alguns centavos por dia, por falta de atividade mental.

Se tiver medo de perder seu emprego, é muito provável que o perderá, porque o medo é um estado mental que, inevitavelmente, o levará para as coisas ou condições temidas. É indiscutível o lamentável fato de que *o medo é o maior inimigo do gênero humano*.

Não existe, entretanto, a coisa ou condição denominada Consciência da Riqueza? A literatura metafísica está repleta desta expressão. Efetivamente, a "Consciência" como palavra está sendo muito empregada pelos escritores e instrutores do misticismo moderno, que às vezes chamam de psicologia aplicada.

Porém, o que é essa "consciência"? Será apenas uma teoria ou uma condição? Você é consciente de muitas coisas através de seus sentidos; é consciente de certas coisas e condições de que os sentidos não poderão dar informação. Pergunte ao rapazinho ou à bela mocinha que não tiveram consciência de "amar", se essa condição não é real. Entretanto, os sentidos nada têm a ver com o amor ou com o ódio, a piedade ou simpatia como sentimentos.

Vá mais fundo para investigar se o medo, ao qual muitos se escravizam, não é uma condição sem razão lógica ou aparente, uma condição irreal.

Seguramente, a "consciência" de um dos mais negativos e prejudiciais processos mentais ou emoções está sempre presente, na grande maioria. É atual, real e perceptível e — o que é pior — abundante em resultados prejudiciais e destrutivos.

Por outro lado, pergunte ao indivíduo triunfante, aquele que realmente realizou alguma coisa, se havia dúvida em sua mente sobre o resultado do empreendimento. A resposta invariável será *não*.

Portanto, você deverá se colocar num estado semelhante de conhecimento, no qual terá a consciência de confiança e a coragem, que é o requisito preliminar. Se impressionar seu subconsciente de acordo com isso, toda dúvida, timidez e temor serão apagadas da sua mente consciente, e você verá apenas o que é desejável. Somente então o bom e o desejável poderão vir a você e se materializar em sua vida, e todos os seus esforços serão coroados pelo êxito.

Existem pessoas que desprezam a riqueza material e consideram a riqueza a raiz de todo o mal.

Se você for uma delas, não precisará ir longe ao procurar a causa das suas dificuldades financeiras. Não poderá atrair o benefício harmonioso daquilo que você despreza ou teme. Não poderá também deixar de atrair as bênçãos daquilo que ama e deseja, e estará disposto a trabalhar mental, emotiva e fisicamente com persistência.

Como você recria a si mesmo

No princípio, Deus soprou o alento de vida no homem e ele se tornou uma criatura vivente. E quando essa criatura foi dotada deste mais maravilhoso fenômeno do mundo — A VIDA — iniciou a sua missão.

Não é objetivo deste capítulo tratar das numerosas fases evolutivas das vidas passadas pelo gênero humano durante os milhares de anos que precederam seu surgimento na luz da civilização que assinala o tempo, desde o qual foi conservado um registro tradicional de sua existência. Apenas direi que, desde o começo desse período, durante o qual a humanidade teve a inteligência suficiente para deixar um registro de si mesma, lentamente foi adquirido a inteligência superior que agora tão imensamente a distingue de todas as outras espécies da criação.

Tentar descobrir as causas vitais e as forças que conduzem a evolução ou desenvolvimento das nossas faculdades inerentes, durante as primeiras fases do nosso desenvolvimento, seria em grande parte uma simples especulação. Porém, as manifestações de um extenso desenvolvimento da natureza humana revelou o fato de que possuímos o poder de Desenvolvimento, atributo esse que apenas cede lugar ao da Vida, e sem o qual não é possível conceber a existência da vida.

O Desenvolvimento é a capacidade que os seres viventes possuem de se desenvolverem, se renovarem e se adiantarem: o atributo que permite ao homem se construir por si mesmo. Não é um verdadeiro milagre o majestoso carvalho surgir da pequena bolota, o pássaro de brilhante plumagem sair de um pequeno ovo ou de um berço humilde surgir o grande iniciador de um movimento humanitário?

Você sabe que uma planta não é o produto da adesão externa ou de agentes externos, mas, sim, o desenvolvimento do germe original contido na semente.

O desenvolvimento de seus poderes é a manifestação e expressão do organismo vivo pela lei do mistério da vida que se acha dentro de você. "Sob os anéis da lagarta se acham envoltas as belas asas da borboleta". Assim também, há em você mesmo poderes e faculdades capazes de quase tudo.

O maquinismo do seu intelecto é tal que pode aumentar seus poderes e faculdades, e nisso seu olhar se volta para as possibilidades que existem dentro de você.

Os homens poderão construir templos e edifícios que o assombrem e causem admiração. Poderão representar o pôr do sol em maravilhosas cores. Seu gênio inventivo poderá manifestar-se de tal forma que maravilhe o mundo, porém nada disso é tão importante como o aperfeiçoamento que poderão fazer em si mesmos.

Aquilo que você constrói e faz é apenas uma manifestação exterior do que está em seu íntimo. Ao construir uma máquina, por exemplo, muito antes de tê-la completado, pela visão da sua alma você a vê perfeita em todas as suas partes, e já em plena produção.

O avião não é mais que um Pensamento, vestido e preparado de tal forma que voa através do ar, e foi imaginado pelo inventor de um modo apropriado para transportá-lo através das nuvens.

O escultor, com os olhos fechados, apanha a visão de um anjo e, com seu engenho, aplica o cinzel ao mármore e daí surge a bela estátua.

Quem poderá medir o poder do pensamento? Com efeito, assim como uma pedra lançada num lago produz séries de ondas que se estendem para longe, o seu pensamento envia suas ondas através do espaço, influenciando os tempos e afetando as gerações futuras, nas quais se realizarão as coisas que você planejou agora sem ainda poder realizar. Escolha, então, seus pensamentos e emita somente os pensamentos construtivos, tanto para você como para os outros. Procure viver e ajude a viver, porque não poderá viver somente para si mesmo.